# Fabliaux

Dossier et notes réalisés par
**Aurélie Barre**

Lecture d'image par
**Alain Jaubert**

folioplus
*classiques*

**Aurélie Barre** est certifiée de lettres modernes. Attachée temporaire de recherche à l'université Jean-Moulin, à Lyon, elle prépare une thèse en littérature médiévale sur le *Roman de Renart*, œuvre dont elle a fait la lecture accompagnée dans «La bibliothèque Gallimard».

**Alain Jaubert** est écrivain et réalisateur. Après avoir été enseignant dans des écoles d'art et journaliste, il est devenu aussi documentariste. Il est l'auteur de nombreux portraits d'écrivains ou de peintres contemporains pour la télévision. Il est également l'auteur-réalisateur de *Palettes*, une série de films diffusée depuis 1990 sur la chaîne Arte et consacrée à la lecture de grands tableaux de l'histoire de la peinture.

Couverture : Jérôme Bosch, *La Nef des fous,* Musée du Louvre, Paris. Photo © RMN - René-Gabriel Ojéda.

# Sommaire

# Fabliaux

(textes choisis)

# Estula

Il y avait jadis deux frères, n'ayant plus ni père ni mère pour les conseiller au besoin et sans nulle autre parenté. Leur amie était Pauvreté qui toujours restait avec eux ; on souffre en cette compagnie : il n'est pas pire maladie. Les deux frères dont je vous parle partageaient le même logis. Une nuit, mourant à la fois de soif et de faim et de froid, tous maux qui volontiers harcèlent ceux que Pauvreté asservit, ils se mirent à méditer comment ils pourraient se défendre contre Pauvreté qui les presse. Un homme qu'on disait très riche habitait près de leur maison. Ils sont pauvres, le riche est sot. Il a des choux dans son courtil[1] et des brebis dans son étable. C'est chez lui qu'iront les deux frères : Pauvreté fait perdre la tête. L'un accroche un sac à son cou, l'autre à la main prend un couteau. Tous deux se mettent en chemin. L'un, se glissant dans le jardin, entreprend, sans perdre un instant, de couper les choux du courtil. L'autre s'en va vers le bercail[2],

---

1. Petite cour.
2. Bergerie.

fait si bien qu'il ouvre la porte et tout semble aller
pour le mieux ; il tâte le plus gras mouton. On était
encore sur pied dans la maison : on entendit le bruit
de l'huis [1] quand il l'ouvrit. Le bourgeois appela son
fils : « Va-t'en donc, dit-il, au jardin et regarde si tout
va bien. Appelle le chien du logis. » Le chien se nommait Estula, mais par bonheur pour les deux frères, il
n'était pas à la maison. Le garçon, qui prêtait l'oreille,
ouvre l'huis donnant sur la cour et crie : « Estula !
Estula ! » Du bercail le voleur répond : « Eh oui ! vraiment, je suis ici. » L'obscurité était profonde : le fils
ne pouvait distinguer celui qui avait répondu ; mais il
fut vraiment convaincu que c'était le chien qui parlait.
Aussitôt, sans perdre de temps, il revient droit à la
maison où il arrive tout tremblant. « Qu'as-tu, mon
cher fils ? dit le père. — J'en fais le serment sur ma
mère, Estula vient de me parler. — Qui ? notre
chien ? — Vraiment, ma foi ; et si vous ne voulez m'en
croire, appelez-le, vous l'entendrez. » Le bourgeois
veut voir la merveille et sur-le-champ va dans la cour ;
il appelle Estula son chien. Le voleur, ne soupçonnant
rien, répond : « Mais oui, je suis ici ! » Le bourgeois
en reste interdit : « Par tous les saints, toutes les
saintes, fils, j'ai ouï bien des merveilles, mais certes
jamais de pareilles. Va conter la chose au curé. Il faut
l'amener avec toi : recommande-lui d'apporter son
étole [2] et de l'eau bénite. » Le fils s'empresse d'obéir
et court à la maison du prêtre. Aussitôt, sans perdre
de temps, il dit : « Sire, venez chez nous ouïr des

---

1. Porte.
2. Large écharpe que les religieux portent à leur cou.

choses merveilleuses : telles jamais n'avez ouïes. Prenez l'étole à votre cou. » Le curé répond : « Tu es fou de vouloir m'emmener dehors ; je suis pieds nus, je n'irai pas. » Le fils là-dessus lui réplique : « Vous viendrez, je vous porterai. » Le prêtre, ayant pris son étole, sans ajouter une parole, monte sur le dos du garçon et celui-ci se met en route ; mais afin d'arriver plus vite, il descend droit par le sentier qu'avaient emprunté les voleurs. Celui qui dérobait les choux vit la forme blanche du prêtre ; il crut que c'était son compère qui lui apportait du butin. Il lui demande tout joyeux : « Vas-tu m'apporter quelque chose ? — Sûrement oui », répond le fils, croyant avoir ouï son père. Le voleur dit : « Dépose-le. Mon couteau est bien émoulu ; on l'a affûté à la forge et je vais lui couper la gorge. » Le prêtre, l'ayant entendu, convaincu qu'on l'avait trahi, lâcha les épaules du fils et décampa tout affolé ; mais il accrocha son surplis [1] à un pieu, où il le laissa ; car il n'osa pas s'attarder pour tenter de le décrocher. Ignorant ce qu'il en était, le voleur qui coupait les choux ne resta pas moins étonné que celui qu'il avait fait fuir ; et cependant il s'en va prendre l'objet blanc qu'il voit au pieu pendre et il décroche le surplis. Son frère à ce moment sortit du bercail avec un mouton ; il appela son compagnon qui avait son sac plein de choux. Ayant bien chargé leurs épaules, et sans s'attarder davantage, tous deux regagnent leur maison, et le chemin ne fut pas long. Alors le voleur au surplis montre à son frère son butin. Ils

---

1. Vêtement de lin porté par les prêtres.

ont bien plaisanté, bien ri. Le rire, naguère perdu,
maintenant leur était rendu.

En peu de temps, Dieu fait son œuvre. Tel rit le
matin, le soir pleure ; et tel est le soir chagriné qui le
matin fut en gaieté.

# Les Trois Aveugles
## de Compiègne

### par CORTEBARBE

Je dirai ici la matière d'un fableau [1] que je veux conter. On tient le ménestrel pour sage s'il s'ingénie à composer beaux récits et belles histoires qu'on dit devant ducs, devant comtes. Fableaux sont bons à écouter : ils font oublier mainte peine, mainte douleur et maint ennui. Cortebarbe a fait ce fableau ; je crois qu'il s'en souvient encore.

Il advint que près de Compiègne suivaient leur chemin trois aveugles ; ils n'avaient avec eux personne pour les mener ou les conduire ni pour leur indiquer la route. Chacun d'eux avait sa sébile [2] ; ils étaient pauvrement vêtus. Ainsi marchaient-ils vers Senlis. Un clerc qui venait de Paris — entendu au bien comme au mal — était suivi d'un écuyer à cheval, portant ses bagages ; lui montait un beau palefroi et s'en allait à vive allure. Il a rejoint les trois aveugles, s'aperçoit que nul ne les guide : comment trouvent-ils leur chemin ? Il dit : « Que j'attrape la goutte si je ne sais s'ils

1. Ancienne graphie pour fabliau.
2. Petite coupe destinée à recevoir de l'argent.

y voient goutte!» L'entendant venir, les aveugles se rangent vite de côté et s'écrient : «Faites-nous du bien! Il n'est pas plus pauvres que nous; ne pas voir est grande misère.» Et le clerc aussitôt s'avise de leur jouer un joli tour. «Voici, leur dit-il, un besant[1] que je vous donne pour vous trois. — Dieu vous le rende, par sa croix!» Chacun dit : «C'est un beau présent!», s'imaginant qu'un autre l'a. Le clerc, qui là-dessus les laisse, se promet de voir le partage. Il met aussitôt pied à terre; il prête l'oreille et écoute ce que disent les trois aveugles. Le plus vieux émet son avis : «Il ne nous a rien refusé celui qui donna ce besant. Un besant, c'est un beau cadeau. Savez-vous ce qu'il nous faut faire? Nous retournerons à Compiègne. Il y a vraiment bien des jours que nous n'avons pas eu nos aises. Prendre du bon temps, c'est justice. Tout, à Compiègne, est à plenté[2].» Chacun des autres de répondre : «C'est bien dit, repassons le pont.» Ils s'en retournent vers Compiègne, toujours dans le même équipage, radieux, nageant dans la joie. Le clerc les suit : il veut les suivre en attendant de voir la fin. Les voilà entrés dans la ville; on entend crier dans la rue : «Ici, bon vin frais et nouveau! Vin d'Auxerre, vin de Soissons, et bon pain et viande et poisson. Dépensez ici votre argent : l'auberge s'ouvre à tout venant. On loge ici tout à son aise!» Ils s'en vont par là volontiers; étant entrés dans la maison, ils s'adressent à l'hôtelier : «Il ne faut pas nous mépriser si nous sommes très mal vêtus. Il nous plairait d'être traités entre nous, à part; nous paierons

---

1. Pièce de monnaie d'or et d'argent.
2. En abondance.

mieux que maints voyageurs cossus. Nous voulons être bien servis.» L'hôte pense qu'ils disent vrai, car souvent ces sortes de gens ont une bourse bien garnie, et s'emploie à les satisfaire. Il les mène à la chambre haute : «Seigneurs, leur dit-il, vous pourriez rester ici une semaine et vous n'auriez pas à vous plaindre. Il n'est bon morceau dans la ville que vous n'ayez si vous voulez. — Sire, font-ils, dépêchez-vous et qu'on nous serve largement. — Laissez-moi faire», répond l'hôte. Il leur prépare cinq services : pain et viande, pâtés, chapons, des vins, mais seulement des bons. Il fait tout monter à l'étage, il fait mettre au feu du charbon ; eux s'assoient à la table haute. Cependant le valet du clerc met les chevaux à l'écurie avant de prendre son logis. Le clerc, qui était bien appris et vêtu avec élégance, dîne à midi, soupe le soir à la même table que l'hôte, occupant la place d'honneur. On sert comme des chevaliers les trois aveugles dans leur chambre. Chacun d'eux y mène grand bruit et l'un verse du vin à l'autre : «Tiens, je t'en donne, donne-m'en ! Ce vin-là vient de bonne vigne.» Bien sûr, ils ne s'ennuyaient pas ; jusqu'à minuit ils se gobergent[1] sans souci et tout à leur gré. Les lits prêts, ils vont se coucher en espérant s'y attarder. Quant au clerc, il est toujours là en attendant le dénouement.

Hôte et valet, de bon matin, se sont levés, et puis ils comptent ce qu'ont coûté viande et poisson. Le valet dit : «En vérité, le pain, le vin et le pâté ont bien coûté plus de dix sous. Ils ont entre eux fait bonne

---

1. Ils font bombance.

chère. Le clerc, lui, en a pour cinq sous. — Celui-là
ne m'inquiète guère ; va là-haut et fais-moi payer. » Et
le valet, sans plus attendre, va chez les aveugles et leur
dit qu'il faut que chacun d'eux s'habille ; son maître
veut être payé. « Soyez sans crainte, lui font-ils ; sachez
que nous le paierons bien. Savez-vous ce que nous
devons ? — Oui, dit-il, vous devez dix sous. — Ce
n'est pas trop. » Tous trois se lèvent et descendent. À
côté le clerc, qui se chaussait devant son lit, ne perdait rien de leurs propos. Les aveugles dirent à l'hôte :
« Sire, nous avons un besant, nous pensons qu'il est de
bon poids ; et vous nous rendrez la monnaie, avant que
nous mangions encore. — Bien volontiers, leur
répond l'hôte. — Que celui qui l'a le lui donne, fait
l'un, car moi je ne l'ai pas. — C'est donc Robert Bar-
befleurie. — Pas du tout, je sais que c'est toi. — Corbleu ! ce n'est pas moi qui l'ai ! — Qui donc l'a ? —
Toi ! — Mais non, c'est toi ! — L'argent ! ou vous
serez battus, leur dit l'hôte, seigneurs truands, et jetés
en fosse puante avant que vous partiez d'ici. » Mais ils
lui crient : « Pour Dieu, pitié ! Sire nous allons vous
payer. » Et la dispute recommence. « Robert, fait l'un,
donne-lui vite le besant, tu marchais devant, et c'est
donc toi qui l'as reçu. — Non, c'est toi qui allais derrière, donne-le-lui, je ne l'ai pas. — Je suis venu au bon
moment, dit l'hôte, je vois qu'on me gruge. » À l'un il
donne un grand soufflet et fait apporter des bâtons. Le
clerc, qui ne manquait de rien, et que la scène amusait
fort, se pâmait de rire, ravi. Voyant qu'on en venait
aux coups, il va bien vite trouver l'hôte, lui demande
ce qui se passe et ce qu'il réclame à ces gens. « Comment, lui dit l'autre, ils ont bu et mangé pour dix sous ;

ils veulent bonnement se moquer de moi. Ils en seront récompensés : ils auront honte de leur corps. — Mettez donc cela sur mon compte, dit le clerc ; je dois quinze sous. Ayons pitié des pauvres gens. » L'hôte répond : « Bien volontiers ; vous êtes un clerc généreux. » Et les aveugles s'en vont quittes.

Mais écoutez le subterfuge que le clerc alors machina. On sonnait la messe à l'église. S'adressant à l'hôte il lui dit : « Vous connaissez bien le curé ? Pourriez-vous lui faire confiance s'il voulait vous payer pour moi les quinze sous que je vous dois ? — Point n'est besoin de me l'apprendre, fait le bourgeois, par saint Sylvestre, je ferais crédit au curé, s'il le voulait, de trente livres. — Dites donc qu'on me tienne quitte quand je reviendrai à l'auberge : vous serez payé à l'église. » L'hôte donne aussitôt ses ordres ; le clerc dit à son écuyer d'apprêter chevaux et bagages. Que tout soit fait à son retour ! Il dit à l'hôte de venir : tous deux se rendent à l'église et prennent place dans le chœur. Le clerc, qui doit les quinze sous, a pris son hôte par le doigt et le fait asseoir près de lui. « Je n'ai pas, fait-il, le loisir d'attendre la fin de la messe. Vous aurez ce que j'ai promis : je vais dire à votre curé qu'il vous donne vos quinze sous dès qu'il aura chanté l'office. — Faites à votre volonté », répond le bourgeois qui le croit. Le prêtre a mis ses ornements et s'apprête à dire la messe ; et le clerc se présente à lui, sachant bien ce qu'il allait dire ; on aurait cru un gentilhomme et son air n'était pas revêche. Voilà qu'il tire de sa bourse douze deniers pour les glisser aussitôt dans la main du prêtre. « Sire, fait-il, par saint Germain, veuillez m'écouter un instant. Tous les clercs

doivent être amis : je viens donc vous voir à l'autel.
J'ai passé la nuit à l'auberge ; mon hôte est un excellent homme et dépourvu de fourberie ; que le doux
Jésus-Christ le garde ! Mais une maladie cruelle l'a pris
hier soir dans la tête pendant que nous soupions gaie-
ment ; il en était tout égaré. S'il va mieux, je crois,
Dieu merci, la tête lui fait mal encore. Je vous
demande de lui lire un évangile sur le chef[1], quand
vous aurez chanté la messe. — Entendu, répond le
curé, je le lui lirai, par saint Gilles. » Et puis, s'adressant au bourgeois : « Quand la messe sera finie, je
ferai ce que j'ai promis. Disons donc que le clerc est
quitte. — Je ne demande rien de plus. — Sire prêtre,
que Dieu vous garde, fait le clerc. Adieu, beau doux
maître. » Le prêtre alors monte à l'autel, et bientôt la
messe commence. Ce jour-là était un dimanche et il
y avait affluence. Le clerc, en homme bien appris, vient
prendre congé de son hôte et le bourgeois, sans plus
attendre, l'accompagne jusqu'à l'auberge. Le clerc
monte à cheval et part. Aussitôt après, le bourgeois
revient à l'église, impatient de recevoir ses quinze
sous. Il pensait déjà les tenir et dans le chœur il atten-
dait que le prêtre se dévêtît et que la messe fût chan-
tée. Mais tout de suite le curé prend son missel[2] et
son étole, et lui crie : « Sire Nicolas, venez ici, et à
genoux ! » Ces propos ne sont pas du goût de l'hôtelier qui lui réplique : « Je suis venu pour autre chose ;

---

1. Lire l'Évangile sur le chef est une cérémonie d'exorcisme :
le prêtre lisait sur la tête des possédés l'épisode de l'Évangile dans
lequel Jésus chasse les démons.
2. Livre de messe.

payez-moi donc mes quinze sous. — Vraiment, il a
perdu la tête, que le Seigneur lui vienne en aide ! Il
délire, je le vois bien. — Écoutez, fait l'hôte, écoutez :
ce prêtre-là veut me berner et j'ai failli perdre le sens
quand il m'a apporté son livre. — Beau doux ami, je
vous conseille, dit l'autre, quoi qu'il vous en coûte, de
vous recommander à Dieu ; ainsi vous serez soulagé. »
Sur la tête il lui met le livre, s'apprête à lire l'évangile,
et le bourgeois de protester : « J'ai chez moi du travail à faire et n'ai cure de cette affaire. Je veux à l'instant mon argent. » Le prêtre en est tout effrayé ; il
appelle ses paroissiens qui s'attroupent autour de lui.
Il leur dit : « Tenez-moi cet homme ; c'est un fou, je
n'en doute plus. — Je ne suis pas fou, s'écrie l'hôte,
je le jure par saint Cornille et par la foi due à ma fille.
Vous me paierez mes quinze sous. N'essayez pas de
me tromper. » Le curé dit : « Tenez-le bien. » Sans hésiter les paroissiens aussitôt fermement l'empoignent, le
saisissant par les deux mains. De son mieux chacun
l'encourage. Le prêtre apporte son missel pour lui lire,
l'étole au cou, l'évangile d'un bout à l'autre, croyant
vraiment qu'il était fou ; puis il l'asperge d'eau bénite.
Mais l'hôtelier n'a qu'un désir, c'est de regagner sa maison. On le lâche, on le laisse libre. Le prêtre enfin, pour
le bénir, lui fait le signe de la croix et dit : « Vous avez
eu grand-peine ! » L'hôtelier en demeure coi. Il est
furieux et plein de honte d'avoir été joué ainsi. Heureux de pouvoir s'échapper, il revient droit à son logis.

Cortebarbe à ce sujet dit qu'on a tort de berner
les autres. Ainsi prendra fin mon histoire.

# Les Perdrix

Puisqu'il est dans mon habitude de vous raconter des histoires, je veux dire, au lieu d'une fable, une aventure qui est vraie.

Un vilain, au pied de sa haie, un jour attrapa deux perdrix. Il les prépare avec grand soin; sa femme les met devant l'âtre [1] (elle savait s'y employer), veille au feu et tourne la broche; et le vilain sort en courant pour aller inviter le prêtre. Il tarda tant à revenir que les perdrix se trouvaient cuites. La dame dépose la broche; elle détache un peu de peau, car la gourmandise est son faible. Lorsque Dieu la favorisait, elle rêvait, non d'être riche, mais de contenter ses désirs. Attaquant l'une des perdrix, elle en savoure les deux ailes, puis va au milieu de la rue pour voir si son mari revient. Ne le voyant pas arriver, elle regagne la maison et sans tarder elle expédie ce qui restait de la perdrix, pensant que c'eût été un crime d'en laisser le moindre morceau. Elle réfléchit et se dit qu'elle devrait bien manger l'autre. Elle sait ce qu'elle dira si

---

1. Cheminée.

quelqu'un vient lui demander ce qu'elle a fait de ses perdrix : elle répondra que les chats, comme elle mettait bas la broche, les lui ont arrachées des mains, chacun d'eux emportant la sienne. Elle se plante dans la rue afin de guetter son mari, et ne le voit pas revenir ; elle sent frétiller sa langue, songeant à la perdrix qui reste : elle deviendra enragée si elle ne peut en avoir ne serait-ce qu'un petit bout. Détachant le cou doucement, elle le mange avec délices ; elle s'en pourlèche les doigts. « Hélas ! dit-elle, que ferai-je ? Que dire, si je mange tout ? Mais pourrais-je laisser le reste ? J'en ai une si grande envie ! Ma foi, advienne que pourra ; il faut que je la mange toute. » L'attente dura si longtemps que la dame se rassasia.

Mais voici venir le vilain ; il pousse la porte et s'écrie : « Dis, les perdrix sont-elles cuites ? — Sire, fait-elle, tout va mal, car les chats me les ont mangées. » À ces mots, le vilain bondit et court sur elle comme un fou. Il lui eût arraché les yeux, quand elle crie : « C'était pour rire. Arrière, suppôt de Satan ! Je les tiens au chaud, bien couvertes. — J'aurais chanté de belles laudes [1], foi que je dois à saint Lazare. Vite, mon bon hanap [2] de bois et ma plus belle nappe blanche ! Je vais l'étendre sur ma chape [3] sous cette treille, dans le pré. — Mais prenez donc votre couteau, il a besoin d'être affûté et faites-le couper un peu sur cette pierre, dans la cour. » L'homme jette sa cape et court, son couteau tout nu dans la main.

---

1. Signifie ironiquement : « Tu aurais eu droit à mes éloges. »
2. Grand verre en métal.
3. Cape.

Mais arrive le chapelain, qui pensait manger avec eux ; il va tout droit trouver la dame et l'embrasse très doucement, mais elle se borne à répondre : « Sire, au plus tôt fuyez, fuyez ! Je ne veux pas vous voir honni, ni voir votre corps mutilé. Mon mari est allé dehors pour aiguiser son grand couteau ; il prétend qu'il veut vous couper les couilles s'il vous peut tenir. — Ah ! puisses-tu songer à Dieu ! fait le prêtre, que dis-tu là ? Nous devions manger deux perdrix que ton mari prit ce matin. — Hélas ! ici, par saint Martin, il n'y a perdrix ni oiseau. Ce serait un bien bon repas ; votre malheur me ferait peine. Mais regardez-le donc là-bas comme il affûte son couteau ! — Je le vois, dit-il, par mon chef. Tu dis, je crois, la vérité. » Et le prêtre, sans s'attarder, s'enfuit le plus vite qu'il peut. Au même instant, elle s'écrie : « Venez vite, sire Gombaut. — Qu'as-tu ? dit-il, que Dieu te garde. — Ce que j'ai ? Tu vas le savoir. Si vous ne pouvez courir vite, vous allez y perdre, je crois ; car par la foi que je vous dois, le prêtre emporte vos perdrix. » Pris de colère, le bonhomme, gardant son couteau à la main, veut rattraper le chapelain. En l'apercevant, il lui crie : « Vous ne les emporterez pas ! » Et de hurler à pleins poumons : « Vous les emportez toutes chaudes ! Si j'arrive à vous rattraper, il vous faudra bien les laisser. Vous seriez mauvais camarade en voulant les manger sans moi. » Et regardant derrière lui, le chapelain voit le vilain qui accourt, le couteau en main. Il se croit mort, s'il est atteint ; il ne fait pas semblant de fuir, et l'autre pense qu'à la course il pourra reprendre son bien. Mais le prêtre, le devançant, vient s'enfermer dans sa maison.

Le vilain chez lui s'en retourne et il interroge sa femme : « Allons ! fait-il, il faut me dire comment il t'a pris les perdrix. » Elle lui répond : « Que Dieu m'aide ! Sitôt que le prêtre me vit, il me pria, si je l'aimais, de lui montrer les deux perdrix : il aurait plaisir à les voir. Et je le conduisis tout droit là où je les tenais couvertes. Il ouvrit aussitôt les mains, il les saisit et s'échappa. Je ne pouvais pas le poursuivre, mais je vous ai vite averti. » Il répond : « C'est peut-être vrai ; laissons donc le prêtre où il est. » Ainsi fut dupé le curé, et Gombaut, avec ses perdrix.

Ce fabliau nous a montré que femme est faite pour tromper : mensonge devient vérité et vérité devient mensonge. L'auteur du conte ne veut pas mettre au récit une rallonge et clôt l'histoire des perdrix.

# Le Vilain mire[1]

Il était un riche vilain, extrêmement avare et
chiche. Il ne quittait pas sa charrue, qu'il menait lui-
même, attelée d'une jument et d'un roncin[2]. Il avait
pain et viande et vin toujours au gré de ses besoins.
Mais ses amis le blâmaient fort, et avec eux tout le
pays, de ne pas avoir pris de femme. « Si j'en ren-
contrais une bonne, je la prendrais bien », leur dit-il.
On lui promit donc de chercher la meilleure qu'on
pût trouver.

Dans le village un chevalier — un vieil homme
demeuré veuf — avait une fille charmante et damoiselle très courtoise. Mais comme il était sans fortune,
il ne trouvait jamais personne qui vînt lui demander
sa main. Il l'eût volontiers mariée, car c'était temps
de la pourvoir. Un jour, les amis du vilain vinrent
ensemble le prier de la donner au paysan qui avait
tant d'or et d'argent, tant de froment et tant de linge.
Aussitôt il y consentit et la pucelle en fille sage n'osa

---

1. Médecin.
2. Cheval.

contredire son père, puisqu'elle avait perdu sa mère.
Elle octroya ce qu'il voulut. Le vilain, le plus tôt qu'il
put, l'épousa, mais de cette affaire la fille n'avait pas
grand-joie. Que n'eût-elle osé refuser! Quant au
vilain, il s'aperçoit, le tracas des noces passé, qu'il a
commis une sottise. Avoir fille de chevalier ne
convient guère à son usage. Quand il ira à la charrue,
viendra rôder un damoiseau pour qui tous les jours
sont fériés; sortira-t-il de sa maison, ce sera le tour
du curé, si assidu dans ses visites qu'il arrivera à ses
fins. Jamais fille de chevalier n'aimera un mari vilain:
pour elle il ne vaut pas deux miches. «Pauvre de moi!
dit le bonhomme; quel parti prendre, je ne sais. Les
regrets ne servent à rien.» Il se met alors à chercher
comment il pourra la défendre. «Dieu! fait-il, si je la
battais, le matin quand je suis levé, elle pleurerait tout
le jour et j'irais tranquille au labour. Bien sûr, tant
qu'elle pleurerait, nul n'irait lui faire la cour. Le soir
venu, à mon retour, je lui demanderais pardon. Je la
rendrais le soir heureuse, mais malheureuse le
matin.» Le vilain ne veut pas partir avant de s'être
restauré: sa femme court le satisfaire. Ils n'avaient
saumon ni perdrix, mais pain et vin et des œufs frits
et du fromage à discrétion, de la réserve du vilain.
Sitôt que la table est ôtée, de sa main qu'il a grande
et large, il frappe sa femme au visage laissant la
marque de ses doigts; il la traîne par les cheveux.
Aurait-elle démérité que le brutal, en vérité, ne l'aurait pas si bien battue. Cela fait, il s'en va aux champs,
laissant sa femme tout en larmes. «Hélas! gémit-elle,
que faire? Je ne sais à quel saint me vouer. Mon père
m'a bien sacrifiée en me donnant à ce vilain. Allais-je

donc mourir de faim ? Certes ce fut la rage au cœur que j'acceptai un tel mari. Pourquoi ma mère est-elle morte ? » C'est ainsi qu'elle se désole ; et les gens qui viennent la voir ne peuvent que rentrer chez eux. Tout le jour elle est éplorée ; quand le vilain rentre au logis avec le coucher du soleil, il se jette aux pieds de sa femme, pour Dieu lui demande pardon : « Sachez que ce fut le Malin qui me poussa à mal agir ; mais croyez-moi, je vous le jure, je ne vous battrai plus jamais ; je suis triste et plein de regrets de vous avoir brutalisée. » Tant lui dit le vilain puant que la dame pardonne encore et de bonne grâce lui sert le souper qu'elle a préparé. Quand le repas fut terminé, ils allèrent au lit en paix. Au matin, l'horrible vilain se remet à battre sa femme (peu s'en faut qu'il ne l'estropie !), puis s'en va aux champs labourer. Voici la dame encore en pleurs : « Hélas ! que vais-je devenir ? Je ne sais à quoi m'arrêter, car je suis en triste posture. Frappa-t-on jamais mon mari ? Ce que sont les coups, il l'ignore ; s'il le savait, pour rien au monde il n'oserait me maltraiter. »

Mais tandis qu'elle se lamente viennent deux messagers du roi, chacun sur un blanc palefroi. Ils piquent des deux vers la dame et la saluent au nom du roi ; ils lui demandent à manger car ils ont, disent-ils, grand-faim. Elle les sert et les questionne : « D'où venez-vous ? Où allez-vous ? Dites-moi ce que vous cherchez. » L'un d'eux répond : « Dame, c'est vrai, nous sommes messagers du roi. Il nous envoie chercher un mire et nous sommes prêts, s'il le faut, à aller jusqu'en Angleterre. — Pour quoi faire ? — Damoiselle Ade, la fille du roi, est malade et il y a huit jours

entiers qu'elle ne peut manger ni boire, car une arête
de poisson reste plantée en son gosier. Le roi en est
bien affligé ; s'il la perd, pour lui plus de joie. » La dame
dit : « Vous n'irez pas aussi loin que vous le pensez,
car mon mari est, croyez-moi, bon médecin, je vous
assure. Certes, il sait plus de remèdes et de vrais juge-
ments d'urine que jamais n'en sut Hippocrate [1]. —
Dame, ne plaisantez-vous pas ? — Je ne dis pas cela
pour rire ; mais il a un tel caractère qu'il ne ferait rien
pour personne avant d'être bien étrillé [2]. — Dame, on
pourra s'y employer : pour les coups, il sera servi. Où
pourrons-nous le rencontrer ? — Vous allez le trouver aux champs. Quand vous sortirez de la cour, vous
suivrez le lit du ruisseau et non loin d'un mauvais chemin, la toute première charrue que vous pourrez
voir, c'est la nôtre. Allez ! que saint Pierre vous
garde ! » Les messagers, piquant des deux, trouvent
sans peine le vilain ; ils le saluent au nom du roi et lui
disent sans plus tarder : « Venez vite parler au roi. —
Et pourquoi ? répond le vilain. — Afin d'exercer vos
talents : on ne connaît pas sur la terre de mire plus
savant que vous. De loin nous venons vous chercher. » Quand il s'entend appeler mire, tout son sang
se met à bouillir ; il affirme qu'il ne sait rien. « Qu'at-
tendons-nous ? fait l'un des deux. Tu sais qu'il veut
être battu avant de parler ou d'agir. » L'un lui donne
un coup sur l'oreille, l'autre lui martèle le dos avec
un bâton grand et gros. Après l'avoir bien malmené,

1. Médecin grec.
2. Frotté, malmené.

ils le conduisent chez le roi, l'ayant monté à reculons, la tête en place des talons. Le roi allait à leur rencontre et dit : « N'avez-vous rien trouvé ? — Mais si », répondent-ils ensemble, et le vilain tremble de peur. Aussitôt ils content au roi quels talents avait le vilain, comment aussi, par félonie, quelque prière qu'on lui fît, il ne voulait guérir personne à moins d'être roué de coups. « Fâcheux médecin ! dit le roi. En vit-on jamais de pareil ? — S'il en est ainsi, qu'on le batte, s'écrie un valet, je suis prêt. On n'a qu'à me donner des ordres : je lui paierai ce qu'on lui doit. » Mais le roi s'adresse au vilain : « Maître, fait-il, écoutez-moi. Je vais faire venir ma fille qui a grand besoin de guérir. » Le vilain demande merci : « Croyez-moi, sire, en vérité, pour Dieu qui jamais ne mentit, j'ignore tout de la physique. » Le roi lui dit : « J'entends très bien. Battez-le-moi ! » Et les valets à le rosser bientôt s'escriment. Dès que le vilain sent les coups, il croit que c'est pure folie : « Pardon ! se met-il à crier ; je vais la guérir sans tarder. »

La pucelle était dans la salle, toute pâle, mine défaite. Et le vilain cherche en sa tête comment il pourra la guérir, car il sait qu'il doit réussir : sinon il lui faudra mourir. Il se dit que s'il la fait rire par ses propos ou ses grimaces, l'arête aussitôt sortira puisqu'elle est plantée dans sa gorge. Il prie le roi : « Faites un feu dans cette chambre et qu'on me laisse ; vous verrez quels sont mes talents. Si Dieu veut, je la guérirai. » On allume alors un grand feu, car le roi en a donné l'ordre. Les écuyers, les valets sortent. La fille s'assoit devant l'âtre. Quant au vilain, il se met nu,

ayant ôté jusqu'à ses braies [1], et vient s'allonger près
du feu. Alors il se gratte, il s'étrille ; ses ongles sont
longs, son cuir dur. Il n'est homme jusqu'à Saumur qui
soit meilleur gratteur que lui. Le voyant ainsi, la
pucelle, malgré le mal dont elle souffre, veut rire et
fait un tel effort que l'arête sort de sa bouche et
tombe dans la cheminée. Il se rhabille, prend l'arête,
sort de la chambre triomphant. Dès qu'il voit le roi,
il lui crie : « Sire, votre fille est guérie ! Voici l'arête,
Dieu merci. » Le roi en a très grande joie et dit au
vilain : « Sachez bien que je vous aime plus que tout ;
vous aurez vêtements et robes. — Merci, sire, je n'en
veux pas ; je ne puis rester près de vous. Je dois regagner mon logis. — Il n'en sera rien, dit le roi. Tu seras
mon ami, mon maître. — Merci, sire, par saint Germain ! Il n'y a pas de pain chez moi ; quand je partis,
hier matin, on devait aller au moulin. » Le roi fait signe
à deux valets : « Battez-le-moi, il restera. » Ceux-ci
aussitôt obéissent et viennent rosser le vilain. Quand
le malheureux sent les coups pleuvoir sur son dos et
ses membres, il se met à leur crier grâce : « Je reste-
rai, mais laissez-moi. »

Le vilain donc reste à la cour. D'abord, on le tond,
on le rase ; on lui met robe d'écarlate. Il se croyait
tiré d'affaire quand les malades du pays, plus de
quatre-vingts, je crois bien, ensemble viennent chez
le roi, à qui chacun conte son cas. Le roi appelle le
vilain : « Maître, dit-il, venez ici. Occupez-vous de ces
gens-là, et vite, guérissez-les-moi. — Pitié, sire ! dit le

---

1. Pantalon ample.

vilain. Il y en a trop, que Dieu m'aide! Je n'en saurais
venir à bout; je ne pourrais les guérir tous.» Le roi
fait signe à deux valets qui se saisissent d'un bâton,
ayant aussitôt deviné pourquoi le roi les appelait.
Quand le vilain les voit venir, tout son sang commence à frémir: «Grâce! se met-il à crier; je les guérirai sans tarder.» Le vilain demande du bois; il en a
autant qu'il en veut. Dans la salle on fait un grand feu:
lui-même à l'attiser s'emploie. Il réunit tous les
malades; c'est alors qu'il demande au roi: «Sire, il
faut sortir de la salle avec ceux qui n'ont aucun mal.»
Le roi obéit volontiers, sort de la salle avec ses gens.
Et le vilain dit aux malades: «Seigneurs, par Dieu qui
me créa, vous guérir n'est pas chose aisée. Je n'en
saurais venir à bout que par le moyen que voici. Je
vais choisir le plus malade, je le brûlerai dans ce feu;
les autres en auront profit: ceux qui avaleront sa
cendre tout aussitôt seront guéris.» Ils se lorgnent
les uns les autres; mais il n'est bossu ni enflé qui se
croie le plus mal en point, lui donnât-on la Norman-
die. Le vilain s'adresse au premier: «Je te vois en
piteux état: tu es de tous le plus débile[1]. — Pardon,
je suis mieux portant, sire, que jamais je ne l'ai été.
Je suis soulagé d'un grand mal dont je souffrais depuis
longtemps. Sachez qu'en rien je ne vous mens. —
Sors! que viens-tu chercher ici?» Et l'autre aussitôt
prend la porte. Le roi demande: «Es-tu guéri? —
Oui, je suis guéri, Dieu merci; me voici plus sain
qu'une pomme. Votre mire est un habile homme.»

---

1. Faible.

Que pourrais-je encore vous dire ? Il n'y eut ni petit
ni grand qui voulût, pour le monde entier, être jeté
dans le brasier. Ainsi s'en vont tous les malades, pré-
tendant qu'ils étaient guéris. Et le roi, les voyant ainsi,
en est tout éperdu de joie. Il dit au vilain : « Mon beau
maître, vraiment je suis émerveillé que vous les ayez
sauvés tous. — Sire, je les ai enchantés, car j'ai un
charme qui vaut mieux que gingembre ou que cito-
vaut[1]. — Rentrez chez vous quand vous voudrez et
vous aurez de mes deniers, palefrois et bons des-
triers[2] ; et quand je vous rappellerai, vous ferez à ma
volonté. Vous serez mon ami très cher et tous les
gens de ce pays, maître, vous chériront aussi. Ne
jouez plus la comédie ; ne vous faites plus maltraiter,
car c'est honte de vous frapper. — Merci, sire, dit le
vilain ; soir et matin je suis votre homme et je n'en
aurai pas regret. »

Il prend alors congé du roi, regagne joyeux sa maison. Jamais ne fut manant plus riche ; il n'alla plus à la
charrue, plus jamais ne battit sa femme, mais il l'aima
et la chérit. Tout alla comme je vous dis : par sa
femme, et par sa malice, il fut bon mire sans études.

---

1. Graine aromatique.
2. Chevaux de guerre.

# Le Vilain ânier

Il arriva à Montpellier qu'un vilain avait l'habitude de ramasser, avec deux ânes, du fumier pour fumer sa terre. Un jour, ayant chargé ses bêtes, il entre bientôt dans la ville, poussant devant lui les deux ânes, souvent contraint de crier : « Hue ! » Il arrive enfin dans la rue où sont les marchands épiciers : les garçons battent les mortiers. Mais sitôt qu'il sent les épices, lui donnât-on cent marcs [1] d'argent qu'il n'avancerait plus d'un pas. Il tombe aussitôt évanoui, si bien qu'on peut le croire mort. À cette vue, on se désole ; des gens disent : « Mon Dieu, pitié ! Voyez ici cet homme mort. » Mais aucun n'en sait le pourquoi. Les ânes restent arrêtés bien tranquillement dans la rue ; car l'âne n'a guère coutume d'avancer qu'on ne l'y invite. Un brave homme du voisinage, s'étant trouvé là par hasard, vient et demande aux gens qu'il voit : « Qui veut faire guérir cet homme ? Je m'en chargerais pour pas cher. » Alors un bourgeois lui

---

1. Ancienne monnaie.

répond : « Guérissez-le-moi tout de suite ; vous aurez vingt sous de ma poche » ; et l'autre dit : « Bien volontiers ! » Avec la fourche que portait le vilain en poussant ses ânes, il prend un paquet de fumier et va le lui porter au nez. Humant le parfum du fumier, l'homme oublie l'odeur des épices : il ouvre les yeux, il se lève et se dit tout à fait guéri ; et, bien content, de déclarer : « Je n'irai plus jamais par là, si j'arrive à passer ailleurs. »

Je veux montrer par cet exemple que n'a ni bon sens ni mesure qui veut renier sa nature ; chacun doit rester ce qu'il est.

# Brunain la vache
## au prêtre

par Jean Bodel

C'est d'un vilain et de sa femme que je veux vous
conter l'histoire. Pour la fête de Notre-Dame, ils
allaient prier à l'église. Avant de commencer l'office,
le curé vint faire son prône[1] ; il dit qu'il était profi-
table de donner pour l'amour de Dieu et que Dieu
au double rendait à qui le faisait de bon cœur.
« Entends-tu ce que dit le prêtre ? fait à sa femme le
vilain. Qui pour Dieu donne de bon cœur recevra de
Dieu deux fois plus. Nous ne pourrions mieux
employer notre vache, si bon te semble, que de la
donner au curé. Elle a d'ailleurs si peu de lait. — Oui,
sire, je veux bien qu'il l'ait, dit-elle, de cette façon. »
Ils regagnent donc leur maison, et sans en dire davantage. Le vilain va dans son étable ; prenant la vache
par la corde, il la présente à son curé. Le prêtre était
fin et madré[2] : « Beau sire, dit l'autre, mains jointes,
pour Dieu je vous donne Blérain. » Il lui a mis la corde

---

1. Discours du prêtre pendant la messe.
2. Rusé.

au poing, et jure qu'elle n'est plus sienne. «Ami, tu viens d'agir en sage, répond le curé dom Constant qui toujours est d'humeur à prendre; si tous mes paroissiens étaient aussi avisés que tu l'es, j'aurais du bétail à plenté.» Le vilain prend congé du prêtre qui commande, sans plus tarder, qu'on fasse, pour l'accoutumer, lier la bête du vilain avec Brunain, sa propre vache. Le curé les mène en son clos, les laisse attachées l'une à l'autre. La vache du prêtre se baisse, car elle voulait pâturer. Mais Blérain ne veut l'endurer et tire la corde si fort qu'elle entraîne l'autre dehors et la mène tant par maisons, par chènevières[1] et par prés qu'elle revient enfin chez elle, avec la vache du curé. Le vilain regarde, la voit; il en a grande joie au cœur. «Ah! dit-il alors, chère sœur, il est vrai que Dieu donne au double. Blérain revient avec une autre : c'est une belle vache brune. Nous en avons donc deux pour une. Notre étable sera petite!»

Ce fabliau veut nous montrer que fol est qui ne se résigne. Le bien est à qui Dieu le donne et non à celui qui l'enfouit. Nul ne doublera son avoir sans grande chance, pour le moins. C'est par chance que le vilain eut deux vaches, et le prêtre aucune. Tel croit avancer qui recule.

---

1. Champs où croît le chanvre.

# Le Prêtre qui mangea
## les mûres

#### par GARIN

Qu'on en ait colère ou dépit, je veux, sans prendre
de répit, vous dire l'histoire d'un prêtre comme Garin
nous la raconte. Il voulait aller au marché ; il fit donc
seller sa jument qui était grande et bien nourrie et
qu'il avait depuis deux ans. Elle n'avait ni soif ni faim,
ne manquant de son ni d'avoine. Le prêtre à partir se
prépare, se met en selle et se dirige vers le marché
sur sa monture. Je me rappelle la saison : je sais que
c'était en septembre où les mûres sont à foison.
Le prêtre va, disant ses heures, ses matines et ses
vigiles[1]. Mais presque à l'entrée de la ville, à distance
d'un jet de fronde, il y avait un chemin creux. Jetant
les yeux sur un buisson, il y voit quantité de mûres
et se dit alors que jamais il n'en rencontra d'aussi
belles. Il en a grand-faim, grand désir ; il fait ralentir
sa jument et puis l'arrête tout à fait. Mais il redoute
les épines et les mûres les plus tentantes se trouvent
en haut du buisson : il ne peut les atteindre assis. Aus-

---

1. Les heures, les matines et les vigiles sont des offices religieux.

sitôt le prêtre se hisse; sur la selle il monte à deux
pieds et se penchant sur le roncier il mange avec avi-
dité les plus belles qu'il a choisies; et la jument ne
bronche pas. Quand il en eut assez mangé et qu'il se
sentit rassasié, sans bouger il baissa les yeux et vit la
jument qui restait immobile auprès du buisson.
Debout, les deux pieds sur la selle, le prêtre s'en
réjouit fort. «Dieu, fait-il, si l'on disait hue!» Il le
pense et en même temps il le dit : la jument surprise
fait un bond soudain et le prêtre va culbuter dans le
buisson. Il est si bien pris dans les ronces que, pour
cent onces [1] d'argent fin, il ne saurait s'en dégager. La
jument va, traînant les rênes, la selle tournée de travers et court à la maison du prêtre. Quand les serviteurs la revoient, on se désole, on se lamente. La
femme du prêtre se pâme [2], croyant son mari déjà
mort. Dans la maison, quel désespoir! Ils vont courant vers le marché; ils ont tant cherché, tant marché qu'ils arrivent près du buisson où le prêtre était
en détresse. Les entendant se désoler, il se met alors
à crier : «Eh bien! eh bien! où allez-vous? Je suis là
tout endolori, accablé, perclus, défaillant; je suis en
bien triste posture, lardé de ronces et d'épines!» Et
ses gens de lui demander : «Sire, qui vous a hissé là?
— Malheur! fait-il, je suis tombé. Je passais, hélas, par
ici et cheminais disant mes heures. Je fus si tenté par
les mûres qu'à aucun prix je ne voulus aller plus loin
sans en manger. Par hasard il est arrivé que le roncier m'a accroché. Aidez-moi à sortir d'ici; car je ne

---

1. Ancienne mesure de poids.
2. S'évanouit.

désire autre chose que de trouver la guérison et d'être en paix dans ma maison. »

Le fabliau peut nous apprendre que celui-là n'est pas bien sage qui raconte tout ce qu'il pense. Grand dommage en ont, et grand-honte, beaucoup de gens, cela est vrai. Ainsi advint-il au curé.

# Brifaut

L'idée m'est venue de conter l'histoire d'un riche vilain qui n'était pas des plus malins et qui fréquentait les marchés à Arras et à Abbeville. Voulez-vous l'ouïr? La voici. Mais je veux qu'on m'écoute bien.

Ce vilain s'appelait Brifaut. Un jour, s'en allant à la foire, il avait chargé ses épaules de dix aunes[1] de bonne toile qui, devant, lui battait l'orteil et qui traînait sur ses talons. Un larron le suivait de près, qui médita un mauvais tour : il passe un fil dans une aiguille, soulève la toile de terre, la serre contre sa poitrine et la coud sur lui à sa cotte[2]. Alors il se frotte au vilain qui s'est engagé dans la foule; tant il le tire et tant le pousse que l'autre choit de tout son long et que la toile tombe à terre : le larron vite l'escamote et va se perdre dans la presse. Lorsque Brifaut voit ses mains vides, il est transporté de colère et se met à pousser des cris : «Dieu! ma toile, je l'ai per-

---

1. Ancienne mesure de longueur.
2. Tunique.

due ! Dame sainte Marie, à l'aide ! Qui a ma toile ? Qui l'a vue ? » Le larron se cache un moment, ayant mis la toile à son cou ; il a le front de revenir et se plante devant Brifaut : « Qu'as-tu à réclamer, vilain ? — Sire, ce n'est pas sans raison, car je viens d'apporter ici une grande pièce de toile ; cette toile, je l'ai perdue. — Que n'as-tu pris soin de la coudre à ta cotte, comme la mienne ? Il t'aurait été épargné de la faire choir dans la rue. » Il s'en va, laisse le vilain : maintenant la toile est à lui. Brifaut dit adieu à son bien qu'il a sottement laissé prendre.

Quand Brifaut est rentré chez lui, sa femme aussitôt le questionne et lui demande de l'argent : « Sœur, fait-il, va dans le grenier. Tu prendras du blé pour le vendre si tu veux avoir des deniers, car je ne t'en apporte goutte. — Qu'aujourd'hui, dit-elle, Brifaut, pleuve sur toi la male goutte ! — Sœur, tu peux me prier encore ; tu me feras plus grande honte. — Eh bien, par la croix du Sauveur, qu'est-il advenu de la toile ? — Hélas ! dit-il, je l'ai perdue. — Tu viens de me dire un mensonge ; que la mort subite te frappe ! Brifaut, tu l'as bien brifaudée[1]. Que ne fût ta langue échaudée, et ta gorge par où passèrent les bons morceaux payés si cher ! Tu devrais être mis en pièces. — Que la mort m'emporte, ma sœur, et que le Seigneur me honnisse[2] si ce que je dis n'est pas vrai ! »

La mort en effet l'emporta ; sa femme en eut bien

---

1. L'ancien verbe *brifauder* signifiait « manger goulûment ». La femme du vilain s'imagine que Brifaut a bu et mangé tout l'argent de la vente.
2. Vouer au mépris.

pis encore, car elle enragea toute vive et la malheureuse vécut dans le chagrin et la fureur. Ainsi bien des
gens par dépit meurent de honte et de douleur. Telle
est la fin de notre conte.

# Le Larron[1] qui embrassa
## un rayon de lune

J'ai ouï conter qu'un larron vint rôder près d'une maison où habitait un homme riche. Il cherchait moyen de voler. Il grimpa vite sur le toit et prêtant l'oreille écouta si quelqu'un au logis veillait, ce qui l'eût alors obligé à renoncer à son projet. Mais le maître de la maison aperçut fort bien le larron et se promit de l'engeigner[2]. Il parla tout bas à sa femme : « Demande, dit-il, à voix haute — peu m'importe si l'on entend — d'où m'est venue cette richesse qui me fait mener si grand train. » Elle fit comme il le voulait, à haute voix lui demanda : « Sire, pour Dieu, contez-moi donc comment vous avez amassé votre richesse, votre avoir, jamais je n'ai pu le savoir, et jamais je n'ai vu marchand ni prêtre ayant pu gagner tant. » Il répondit : « Vous avez tort de me poser cette question ; usez à votre volonté de ce que Dieu nous a prêté. » Mais elle le pressa plus fort pour obtenir une réponse. Il se

---

1. Voleur.
2. Tromper.

faisait prier encore ; il fit mine enfin de céder et se mit à lui raconter comme il s'était enrichi. « Je fus jadis, dit-il, larron : c'est de là que vient ma fortune. — Comment ! vous avez pu voler sans jamais être incriminé ? — Je tenais, dit-il, de mon maître un charme qu'il prisait beaucoup. Je disais ce charme sept fois, j'embrassais un rayon de lune et descendais dans la maison où je dérobais à mon gré. Et quand je voulais déguerpir, je répétais sept fois le charme, j'embrassais le rayon de lune, j'y montais comme à une échelle. — Enseignez-moi, répliqua-t-elle, comment vous usiez de ce charme. — Quand j'avais dit sept fois *Saül*, je pouvais alors à mon aise, porté par un rayon de lune, pénétrer dans une maison sans éveiller grands ni petits. » Sa femme ajouta : « Par saint Maur, ce charme vaut un vrai trésor. Si quelque ami, quelque parent, ne peut prospérer autrement, je lui enseignerai ce charme et le ferai riche et puissant. » Le prudhomme alors la pria de se taire et de s'endormir : ayant, dit-il, longtemps veillé, il avait besoin de sommeil ; elle le laissa en repos, et il commença à ronfler.

Le larron, l'ayant entendu, pensa qu'il était endormi. Il gardait mémoire du charme. Il le répéta bien sept fois, embrassa un rayon de lune, y noua ses bras et ses jambes, et dégringola sur le sol : il se brisa cuisse et bras droits ; le rayon l'avait mal porté. L'homme, feignant de s'éveiller et d'être effrayé par le bruit, demanda, en criant bien fort, qui pouvait faire un tel tapage. « Je suis, lui dit l'autre, un larron ; j'eus tort d'écouter vos propos. Le charme m'a si bien porté que je suis meurtri et brisé. » On appréhende le larron ; vite on le livre à la justice : il est promis à la potence.

# Saint Pierre et le jongleur

Qui se flatte de bien conter sait trouver les mots qui sont justes; on ne saurait s'en étonner.

Il y avait jadis à Sens un pauvre diable de jongleur; quel était son nom je l'ignore. Comme il se faisait tondre au jeu, il allait souvent sans sa vielle, sans chausses même ni cottelle[1] : aussi, lorsque soufflait la bise, il grelottait dans sa chemise. Ne croyez pas que je vous mente; on le voyait souvent pieds nus; avait-il parfois des souliers, ils étaient fendus et troués. Telle était sa pauvre défroque[2]. Il aimait les dés, la taverne, le bordel et la puterie : c'est là qu'il gaspillait son gain. Chapeau de feuilles sur la tête, il souhaitait que tous les jours fussent pour lui des jours de fête; le dimanche avait ses faveurs. Au reste, ennemi des querelles, c'était le meilleur fils du monde. Ainsi menait-il folle vie, sans cesse en état de péché.

Mais, au terme de ses années, vint pour lui l'heure

---

1. Tunique légère.
2. Vieux vêtement.

du trépas. Les diables sont toujours en quête d'âmes
à surprendre et happer. Resté un mois hors de l'enfer, l'un d'eux demeurait les mains vides. Dès qu'il vit
le jongleur mourir, il courut pour cueillir son âme,
sachant qu'il était mort pécheur : on ne la lui disputa
pas. Il la jeta sur ses épaules et prit le chemin de l'enfer. Ses compagnons, dans leurs tournées, avaient fait
de belles trouvailles : ceux-ci apportent des champions, d'autres des prêtres, des larrons, d'autres des
évêques, des moines, des chevaliers, tous attrapés en
état de péché mortel. Ils s'en vont ensemble en enfer
trouver leur maître Lucifer. Les voyant venir si char-
gés : «Soyez les bienvenus, ma foi. Vous n'avez pas
chômé, je crois. Ces gens-là seront mal logés.» On
les jeta dans la chaudière. «Seigneurs, leur dit-il, il me
semble, si mes yeux ne me trompent pas, que vous
n'êtes pas tous venus. — Nous sommes tous là, sauf
un seul, un imbécile, un malheureux, qui ne sait pas
tendre de pièges, qui ne sait pas gagner les âmes.»
C'est alors qu'arrive le diable, portant sur son dos le
jongleur à demi nu dans ses haillons ; bientôt, il met
bas son fardeau. Lucifer demande au jongleur : «Vassal, qu'étais-tu sur la terre ? Un ribaud [1], un traître, un
larron?» L'autre : «Nenni, j'étais jongleur. Je porte
avec moi la fortune que j'eus au monde en mon vivant.
Mon corps a souffert la froidure ; j'ai ouï des paroles
dures. Puisque je suis ici logé, je chanterai si vous voulez. — De tes chansons je n'ai que faire, il te faut
changer de métier ; mais puisque je te vois si nu, si

---

1. Débauché.

misérablement vêtu, fais donc le feu sous la chaudière. » Il va s'asseoir près du foyer, de son mieux
entretient le feu et se chauffe tout à loisir.

Il advint un jour que les diables s'assemblèrent au
grand complet avant d'aller, hors de l'enfer, chasser
les âmes sur la terre. Lucifer héla le jongleur qui
veillait au feu nuit et jour : « Jongleur, dit-il, écoute-
moi. Je te confie toutes mes âmes. Tu m'en répon-
dras sur tes yeux ; je te les crèverais tous deux et je
te pendrais par la gueule si tu m'en perdais une seule.
— Sire, fait l'autre, allez-vous-en. Je serai un gardien
fidèle : je m'y emploierai de mon mieux et vous rendrai toutes vos âmes. — Eh bien, tu en es respon-
sable ! Mais n'oublie pas ce que je te dis : si tu
manquais à ta parole, je te dévorerais tout vif. En
revanche, dès mon retour, je te ferai rôtir un moine
à la sauce d'un usurier ou à la sauce d'un marlou [1]. »
Alors ils s'en vont et lui reste, attisant le feu tant qu'il
peut.

Écoutez ce qui arriva au jongleur resté près du feu
et quel tour lui joua saint Pierre. Tout seul, l'apôtre
entre en enfer : moustaches tressées, barbe noire.
Avec un brelan et trois dés, il va s'asseoir tranquillement près du jongleur : « Ami, dit-il, voudrais-tu jouer
avec moi ? Vois le beau brelan que j'apporte pour
qu'on y essaie quelques coups. Mes trois dés ne sont
pas pipés. Tu pourrais fort bien me gagner gentiment
de beaux esterlins [2]. » Ce disant, il montre sa bourse.
« Sire, lui répond le jongleur, je vous jure, en toute

---

1. Maquereau.
2. Ancienne monnaie.

franchise, que je n'ai rien, sauf ma chemise. Au nom de Dieu, allez-vous-en, car je n'ai pas du tout d'argent. » Saint Pierre dit : « Beau doux ami, mets comme enjeu cinq ou six âmes. — Je n'oserais, repartit l'autre, car si j'en perdais une seule, mon maître me rouerait de coups avant de me croquer tout vif. — Qui le lui dira ? fait saint Pierre. Il n'est pas à vingt âmes près. Vois-tu ces pièces d'argent fin ? Gagne-moi donc ces esterlins : ils sont tout neufs, tu peux m'en croire. Voilà vingt sous de mise au jeu ; toi, mets des âmes pour autant. » L'autre, à la vue des esterlins, ne se tient plus de convoitise ; il prend les dés, il les manie et sans détours dit à saint Pierre : « Jouons donc, je tente ma chance, une âme au coup, mais rien de plus. — C'est vraiment trop peu, mets-en deux, et le gagnant relance d'une, à volonté ou blanche ou brune. — C'est entendu, dit le jongleur. — Je relance, reprend saint Pierre. — Avant le coup, fait l'autre, diable ! Mettez donc l'argent sur la table. — Bien volontiers, au nom de Dieu. Je mets mes esterlins en jeu. » Et les voilà assis tous deux, saint Pierre et lui, devant le feu.

« Pour jeter les dés, dit l'apôtre, tu me sembles adroit de tes mains. » Ils jouent. « Huit, annonce saint Pierre. Mais si ton coup est de six points, c'est trois âmes que tu devras. » Le jongleur a trois, deux et as. « Tu as perdu, lui dit saint Pierre. — Oui, j'ai perdu, par saint Denis. Eh bien, que ces trois vaillent six. » L'apôtre joue et gagne encore. « Tu me dois neuf. — Le compte est juste. Si je relance, tiendrez-vous ? — Certainement, répond saint Pierre. — Je dois neuf, ce coup vaudra douze. Jetez vos dés, dit le jongleur.

— Volontiers, et c'est fait : regarde ; je vois ici le
coup de six : tu me dois donc vingt et une âmes. —
Par la tête Dieu, telle chose ne m'arriva jamais au jeu.
Par la foi que vous me devez, jouez-vous avec quatre
dés ou vos dés seraient-ils pipés ? Je veux jouer à
quitte ou double. — Mon ami, par le Saint-Esprit, ce
sera comme tu voudras. En un coup, dis-moi, ou en
deux ? — En un seul ; et ce sera pour vingt et un et
quarante-deux. — Que Dieu m'aide ! » pense saint
Pierre. Les dés tombent sur le brelan. « Ton coup ne
vaut pas un merlan, dit l'apôtre, tu as perdu, car je
vois cinq points en trois dés ; la chance aujourd'hui
me sourit. Tu me dois quarante-deux âmes. — Vraiment, par le cœur bieu, dit l'autre, je n'ai jamais vu
un tel jeu ; par tous les saints qui sont à Rome, vous
me trompez à chaque coup. — Mais jouez donc !
Êtes-vous fou ? — Je vous prends pour un franc larron ; vous ne pouvez vous empêcher de truquer ou
tourner les dés. » Saint Pierre est furieux de l'entendre : « Que Dieu me sauve ! vous mentez ; c'est
bien l'usage des ribauds de dire qu'on change les dés
quand le jeu n'est pas à leur gré. Malheur à celui qui
m'accuse et maudit soit qui veut tricher. Si tu me
prends pour un larron, c'est que tu n'as plus ta raison. J'ai grande envie, par saint Marcel, de te cares-
ser le museau. — Mais oui, larron, sire vieillard ! car
vous avez triché au jeu. Vous ne pourrez rien y
gagner. Venez donc prendre votre mise ! » Il bondit
sur les esterlins ; mais saint Pierre, sans plus attendre,
saisit par les flancs le jongleur qui, à regret, lâche l'argent, empoigne la barbe de l'autre et la tire à lui tant
qu'il peut ; saint Pierre à son tour lui arrache sa che-

mise jusqu'à la taille. Ils se sont entre-déchirés, bourrés de coups et écharpés; mais le jongleur s'aperçoit
bien que sa force ne lui vaut rien et que, s'il poursuit
la bataille, il y laissera sa chemise. «Sire, dit-il, faisons
la paix; le pugilat a trop duré. Reprenons le jeu en
amis, si vous êtes de cet avis. — Je vous en veux,
répond saint Pierre, d'avoir mis en doute mon jeu, de
m'avoir traité de voleur. — Sire, j'avais perdu la tête;
j'en ai regret, n'en doutez pas. Mais n'avez-vous pas
fait bien pis en me déchirant ma chemise? Soyons
donc quittes, vous et moi. — Je vous l'accorde», dit
l'apôtre. Là-dessus, les deux adversaires échangent
le baiser de paix. «Ami jongleur, écoutez-moi : vous
devez quarante-deux âmes. — Assurément, par saint
Germain, je me mis au jeu trop matin. Reprenons les
dés, voulez-vous, et nous allons jouer à trois coups.
— Je suis tout prêt, mais, bel ami, allez-vous pouvoir
me payer? — Oui, et fort bien, n'en doutez pas,
car vous aurez, à votre gré, chevaliers, dames ou
chanoines, larrons, ou champions ou moines. Voulez-
vous nobles ou vilains, voulez-vous prêtres, cha-
pelains?» L'apôtre perd au premier coup, mais d'un
point gagne le dernier. «Voyez, dit l'autre, cette
chance! Hélas! je n'ai jamais été qu'un mal loti, un
malheureux, en enfer comme sur la terre.»

Quand les âmes qui sont au feu apprennent que
saint Pierre gagne, de tous côtés des voix s'élèvent :
«Sire, par Dieu le glorieux, nous mettons en vous
notre espoir. — Je suis à vous, répond l'apôtre. Pour
vous tirer de ce tourment, j'ai mis au jeu tout mon
argent; s'il plaît à Dieu, avant la nuit, vous serez en
ma compagnie. — Finissons-en, dit le jongleur; je

serai quitte ou je perdrai et mes âmes et ma chemise, et je ne sais plus que vous dire.» Enfin saint Pierre a si bien joué qu'il a gagné toutes les âmes : il les fait sortir de l'enfer et les emmène en long cortège sur les chemins du paradis. Le jongleur demeure ahuri, plein de colère et de dépit.

Voilà les diables revenus. Quand il fut rentré, Lucifer regarda tout autour de lui. Ni en fourneau, ni en chaudière il ne vit âme en son logis. Il appelle alors le jongleur : «Dis-moi, fait-il, où sont allées les âmes que je t'ai laissées ? — Sire, vous allez le savoir. Pour Dieu, ayez de moi pitié. Un vieillard vint à moi naguère. Il me montra sa bourse pleine et je crus pouvoir la vider. Nous avons donc joué, lui et moi ; mais cette affaire a mal tourné, car il avait des dés pipés, cet hypocrite, ce perfide, et j'ai perdu toutes vos âmes.» Peu s'en faut, l'ayant entendu, que l'autre ne le jette au feu. «Jongleur, dit-il, fils de putain ; ta jonglerie me coûte cher. Maudit qui t'apporta ici ; par mon chef, il me le paiera.» On va tout droit chercher le diable qui avait trouvé le jongleur. Après l'avoir roué de coups, ils exigent qu'il leur promette de n'apporter jamais ribaud, marlou, jongleur ni joueur de dés. Ils l'ont tant battu, tant rossé qu'il leur en donne l'assurance. Lucifer dit au ménestrel : «Bel ami, videz mon hôtel. Je maudis votre jonglerie puisque j'ai perdu ma maisnie [1]. Videz les lieux, je vous l'ordonne ; de tels serviteurs je n'ai cure. Que jongleurs aillent leur chemin ! Dieu aime la joie, qu'il les garde ! Allez

---

1. L'ancien nom désigne ceux qui vivent sous un même toit. Dans le texte, Lucifer se lamente d'avoir perdu toutes les âmes.

à Dieu, et je m'en moque. » L'autre s'enfuit à grande allure, puisque les diables l'ont chassé, et va tout droit au paradis. Saint Pierre, le voyant venir, accourt pour lui ouvrir la porte ; il lui donne un riche logis. Que désormais jongleurs s'amusent, qu'ils fassent la fête à leur gré. Il n'y a plus d'enfer pour eux ; il leur en a fermé la porte, le jongleur qui perdit aux dés.

# Le Testament de l'âne

## par RUTEBEUF

Qui veut vivre estimé du monde et suivre l'exemple de ceux qui cherchent à faire fortune va rencontrer bien des ennuis. Les médisants ne manquent pas qui, pour un rien, lui cherchent noise[1], et il est entouré d'envieux. Si bon, si gracieux qu'il soit, s'il en est dix assis chez lui, il y aura six médisants et d'envieux, on en verra neuf. Ces gens-là, derrière son dos, ne le prisent pas plus qu'un œuf ; mais par-devant ils lui font fête, chacun l'approuvant de la tête. Si l'on ne reçoit rien de lui, comment ne pas le jalouser quand ceux qui mangent à sa table ne sont ni loyaux ni sincères ? Il ne peut en être autrement et c'est la pure vérité.

Je cite l'exemple d'un prêtre, curé d'une bonne paroisse, qui mettait son talent, son zèle à en tirer des revenus. Il avait de l'argent, des robes ; ses greniers regorgeaient de blé qu'il savait vendre au bon moment, attendant, si besoin était, de Pâques à la

---

Saint-Rémi. Et le meilleur de ses amis ne pouvait rien
tirer de lui sinon par contrainte et par force. Il avait
un âne au logis comme on n'en vit jamais de tel, qui
le servit vingt ans entiers : rares sont pareils serviteurs ! Après l'avoir bien enrichi, la bête mourut de
vieillesse ; mais par respect pour sa dépouille, il ne la
fit pas écorcher et l'enterra au cimetière.

Passons à un autre sujet. L'évêque du diocèse était
à l'opposé de son curé : ni avare, ni convoiteux, mais
courtois et fort bien appris. Aurait-il été très malade
que, voyant venir un ami, il n'aurait pu rester au lit.
La compagnie de bons chrétiens pour lui valait les
médecins. Tous les jours sa salle était pleine. On le
servait de bonne grâce et quoi qu'il pût leur demander, jamais ses gens ne se plaignaient. Il était riche,
mais de dettes, car qui trop dépense s'endette. Cet
excellent prudhomme un jour avait nombreuse compagnie. On parla de ces riches clercs, de ces prêtres
ladres et chiches qui n'honorent pas de leurs dons
leur évêque ni leur seigneur. Notre curé fut mis en
cause : il était riche, celui-là ! On raconta toute sa vie
comme on l'aurait lue dans un livre et on lui prêta,
c'est l'usage, trois fois plus qu'il ne possédait. « Encore
a-t-il fait une chose qui pourrait lui coûter bien cher
si quelqu'un la faisait connaître, dit l'un pour se faire
valoir. — Et qu'a-t-il fait ? dit le prudhomme. — Il a
fait pire qu'un Bédouin : il a mis en terre bénite le
corps de son âne Baudouin. — Si la chose est vraie,
dit l'évêque, honnis soient les jours de sa vie et que
maudit soit son avoir ! Gautier, faites-le comparaître ;
j'entendrai le curé répondre aux accusations de
Robert. Et je dis, Dieu me vienne en aide, que si le

fait est avéré, il devra m'en payer l'amende. — Sire, je veux bien qu'on me pende, si ce que je dis n'est pas vrai. »

Le prêtre, cité, se présente au tribunal de son évêque : il risque d'être suspendu. « Félon, traître, ennemi de Dieu, où donc avez-vous mis votre âne ? dit l'évêque. Vous avez fait grande offense à la Sainte Église, telle que jamais on n'en fit. Vous avez enterré votre âne au cimetière des chrétiens. Par sainte Marie l'Égyptienne, si j'ai des preuves de la chose, si j'ai témoins de bonne foi, je vous ferai mettre en prison. A-t-on jamais vu pareil crime ? » Le prêtre répond : « Très doux sire, toute parole se peut dire. Je demande un jour de délai, car je voudrais prendre conseil en cette affaire, s'il vous plaît ; non que je désire un procès. — Je veux bien que vous consultiez, mais je ne vous tiendrai pas quitte si j'apprends que la chose est vraie. — Monseigneur, ce n'est pas croyable. » Là-dessus, l'évêque s'en va, et sans avoir envie de rire. Le prêtre, lui, ne s'émeut pas, car il a une bonne amie, il le sait très bien, c'est sa bourse qui, s'il faut payer une amende, ne lui fera jamais défaut.

La nuit passée, le terme arrive. Le prêtre revient chez l'évêque avec vingt livres dans sa bourse : argent comptant, de bon aloi[1] ; il ne craint la soif ni la faim. L'évêque, le voyant venir, s'empresse de l'interroger : « Curé, vous avez pris conseil ; et que nous en rapportez-vous ? — Monseigneur, j'ai bien réfléchi.

---

1. D'une belle qualité.

Conseil peut aller sans querelle. Il ne faut pas vous étonner qu'on doive en conseil s'arranger. Je veux décharger ma conscience ; si j'ai mérité pénitence d'argent, de corps, punissez-moi. » L'évêque s'approche, voulant l'entendre de bouche à oreille, et le prêtre lève la tête : il ne tient plus à ses deniers ! Sous sa cape il a son argent, n'osant le montrer à personne. À voix basse il dit son affaire : « Sire, quelques mots suffiront. Mon âne a bien longtemps vécu ; j'avais en lui de bons écus. Il m'a servi sans rechigner loyalement vingt ans entiers. Que Dieu me pardonne mes fautes, chaque année il gagnait vingt sous si bien qu'il épargna vingt livres que, pour échapper à l'enfer, il vous laisse par testament. » Et l'évêque dit : « Que Dieu l'aime ; qu'il lui pardonne ses méfaits et les péchés qu'il a commis. »

Ainsi, vous l'avez entendu, l'évêque a su tirer profit de l'argent du riche curé ; il lui apprit en même temps à ne pas se montrer avare. Rutebeuf le dit et l'apprend : qui joint l'argent à son affaire ne doit pas douter du succès. L'âne Baudouin resta chrétien : mon récit vous a témoigné qu'il paya bel et bien son legs.

# La Vessie au prêtre

### par JACQUES DE BAISIEUX

Au lieu d'un récit inventé, je vous dirai l'histoire vraie — que j'ai entendu raconter — d'un prêtre habitant près d'Anvers. Comme il était très avisé, il avait beaucoup amassé. Il était riche et possédait blé et brebis, vaches et bœufs, tant qu'on n'aurait pu les compter. Mais la mort qui n'épargne rien, ni les rois, les ducs ni les comtes, l'avertit qu'il devrait bientôt payer tribut à la nature. Le pauvre homme était hydropique [1] ; aussi personne ne pouvait lui promettre une longue vie.

Ce prêtre, ayant très grand désir de mourir de la mort du juste, fait venir le plus tôt qu'il peut son doyen et tous ses amis ; il met en leurs mains son avoir pour qu'ils répartissent ses biens quand ils verront l'heure venue où il lui faudra rendre l'âme. Sans rien garder il donne tout, joyaux, coussins, bancs et vaisselle, literie, linge jusqu'aux nappes, et bœufs et

---

1. Le prêtre souffre d'épanchements d'eau qui forment des œdèmes.

moutons et brebis. Il leur dit à qui reviendront les
choses qu'il aura léguées et fait des promesses écrites.

C'est alors que deux Jacobins partirent d'Anvers
pour prêcher. Ils allèrent droit chez le prêtre, pensant bien qu'il les garderait pour manger, boire et
festoyer, comme il l'avait fait maintes fois. Ils ne
mangèrent ni ne burent, puisque le prêtre était au
lit. Néanmoins ils se sont enquis de son état, de sa
santé. Ils lui palpent mains et visage, regardent ses
jambes, ses pieds, lui tâtent le corps tout entier, et
vraiment il leur semble bien qu'il s'agit d'un mal incu-
rable : la mort ne saurait l'épargner. « Faisons en
sorte, dit l'un d'eux, que, de son avoir amassé, il
lègue aux Jacobins vingt livres : c'est de quoi réparer
nos livres. Si nous pouvons y arriver, le prieur nous
en saura gré et nos frères seront ravis. — Vous
parlez d'or, par Dieu le père, frère Louis, mais il
faut savoir qui pourra le mieux l'aborder pour lui
exposer notre affaire. » Ils s'approchent du lit du
prêtre : « Sire, vous semblez accablé par ce mal qui
vous fait souffrir. Il faudrait penser à votre âme et
faire au nom de Dieu des legs. » Le prêtre dit : « Je
ne crois pas avoir caché chape ni cotte, ni les draps
auxquels je me frotte puisque, pour Dieu, j'ai tout
donné. — Comment avez-vous arrangé, lui deman-
dent-ils, vos affaires ? L'Écriture nous en témoigne :
prenez garde à qui vous donnez ; il faut bien choisir
la personne à qui on veut faire une aumône. » Le
prêtre répond simplement : « J'ai, à ma pauvre
parenté, donné brebis, vaches et veaux ; et aux
pauvres de cette ville, j'ai donné aussi, par saint Gilles,
du blé qui vaut plus de dix livres. J'ai fait des dons aux

orphelines, aux orphelins et aux béguines[1] et à bien
des petites gens, et j'ai laissé, par charité, cent sous
aux frères cordeliers. — Ces aumônes nous semblent louables. N'avez-vous pas songé aussi aux
moines de notre maison? dirent les deux frères au
prêtre. — Vraiment non. — Est-ce donc possible? Il
n'est chez nous que bonnes gens; nous sommes vos
proches voisins et nous vivons très sobrement. En ne
voulant rien nous laisser, vous n'aurez pas la mort du
juste. » Le prêtre, troublé du reproche, répond : « Par
les yeux de ma tête, je n'ai plus à moi blé ni bête, or
ni argent, hanaps ni coupes. » Il en est blâmé par les
frères qui montrent, citant des exemples, qu'il peut
révoquer ses promesses pour qu'ils aient part à ses
largesses : « Ce que vous avez fait nous peine, car
chez vous nous avons trouvé bien souvent notre
écuelle pleine. Les legs faits à notre maison sont des
aumônes bien placées. Nous ne portons pas de chemise et nous vivons de charité. Et si nous vous parlons ainsi, Dieu le sait, ce n'est vraiment pas pour la
valeur de votre argent. » À ces mots le prêtre s'irrite
et se dit qu'il se vengera, s'il le peut, qu'il les bernera;
ils paieront cher leur insistance. Voici ce qu'il répond
aux frères : « J'ai réfléchi, et vous réserve un joyau qui
me fut précieux, que j'aime encore. Par saint Pierre,
je n'ai rien qui me soit plus cher, et ne voudrais pas
m'en défaire pour deux cents marcs d'un autre avoir.
Je vous fixe ici rendez-vous. Revenez avec le prieur,
et je vous dirai ce que c'est avant que la vie m'aban-

---

1. Religieuse de Belgique et des Pays-Bas.

donne. » Les frères, nageant dans la joie, lui répondent : «Dieu vous le rende! Quand voulez-vous que l'on revienne en amenant notre prieur? — Venez demain, s'il plaît à Dieu, et vous recevrez ma promesse avant que mon état n'empire. »

Les deux frères, à leur retour, assemblent bientôt le chapitre. Chacun d'eux raconte l'affaire, sans être longtemps écouté; et tous les frères de crier : «Faites venir bonne pitance : nous avons gagné deux cents livres que nous laisse un prêtre malade. » Frère Nicole et frère Gilles, frère Guillaume et frère Ansiaux, viennent apprendre la nouvelle et ils en mènent grande joie. Ils commandent force poissons, vin vieux, vin nouveau, flans, pâtés. On s'empiffre autour de la table et chaque frère prend ses aises; ils ne boivent pas de piquette. On les voit baiser le hanap en l'honneur du prêtre malade qui leur a promis son joyau. À la volée, les cloches sonnent comme pour la fête d'un saint. Ceux qui les voient sont ébahis et croient qu'ils ont perdu la tête. Et le frère Louis se demande quel sera le meilleur moyen d'extorquer sa promesse au prêtre : «Demain matin, avant la messe, il fera bon se mettre en route, dit chacun, que Dieu nous conduise! Avant que la mort le surprenne, sachons ce qu'il veut nous donner. Nous en aurons mainte pitance; cela vaut d'en prendre la peine. — Quels sont ceux — il faut nous le dire — qui pourront vous accompagner? — Notre ermite, frère Guillaume, en sera, et frère Nicole; ils sauront très bien lui parler. Viendra aussi frère Robert : il n'est pas plus sage convers; il portera notre bréviaire. Du

prieur nous n'avons que faire.» Ils se sont ainsi mis
d'accord.

Le lendemain, ils sont allés tout droit à la maison
du prêtre. Ils le saluent au nom de Dieu, lui demandent si de son mal il a quelque soulagement. Le prêtre
sait bien leur répondre et dit : «Soyez les bienvenus !
Je suis loin d'avoir oublié le legs que je vous ai promis ; mes intentions restent les mêmes. Faites venir
les échevins[1] et le maire pour que plus tard vous
n'ayez pas le moindre ennui. Devant eux je m'enga-
gerai ; vous saurez quelle est cette chose et je vous
dirai où la prendre.» Entendant ce que dit le prêtre,
frère Robert a tant couru qu'il amène avec lui le maire
et tout le corps des échevins ; et les frères, bien
entendu, les accueillent comme il se doit. Le prêtre
parle le premier : «Seigneurs, vous êtes mes amis ; au
nom de Dieu, écoutez-moi. Frère Louis et frère
Simon sont venus ici pour prêcher, me croyant en
bonne santé. Mais Dieu a voulu m'accabler d'une
maladie si cruelle que je ne puis m'en relever. M'ayant
vu, ils m'examinèrent ; cela fait, ils me demandèrent
si j'avais pensé à mon âme, et je leur dis, par Notre-
Dame, que j'avais déjà tout donné. Ils me demandèrent encore si un prêtre de leur maison avait eu de
moi quelque don. Je leur dis non ; Dieu soit témoin !
je n'avais pas songé à eux ; ils étaient arrivés trop tard
et n'avais plus rien à donner. Ils me dirent : "Cela va
mal ; car vous ferez mauvaise mort si vous ne chan-
gez pas d'idée et ne voulez rien nous léguer." Pour

---

1. Magistrats qui font respecter le droit.

moi, par sainte patenôtre, je veux faire une bonne
mort et j'ai bien longtemps réfléchi ; et j'ai pensé à
une chose qui est dans mon pourpris enclose[1], que
j'aime plus que tout au monde, mais je la donne à
condition qu'ils ne l'auront qu'après ma mort. Je la
leur lègue devant vous. — Et que nul n'y trouve à
redire, firent ensemble les cinq frères ; mais de quoi
s'agit-il, beau père ? — Eh bien, voilà, c'est ma vessie.
Lorsque vous l'aurez nettoyée, elle vaudra cuir de
Cordoue et vous fera un long usage. Vous pourrez y
mettre du poivre. — Nous avez-vous mandés ici
pour nous duper, prêtre toqué ? Vous nous avez pris
pour des sots. — Vous m'avez pris pour une bête
quand vous vouliez que je révoque les aumônes que
j'avais faites. Je vous ai dit que, pot ni poêle, je n'avais
rien à vous donner. Mais vous vouliez me persuader
que c'était à vous, mieux qu'à d'autres, que je devais
laisser mes biens. » Les Jacobins, baissant la tête, n'ont
plus qu'à tourner les talons et à regagner leur maison
avec des mines déconfites. Quant à ceux qui étaient
restés, ils se pâmèrent tous de rire.

Jacques de Baisieux, sachez-le, a traduit du néer-
landais l'histoire qu'il a mise en rime, car la farce lui
a bien plu.

---

1. Le prêtre songe à une chose enfermée dans son jardin. Par
image, *jardin* désigne le propre corps du prêtre.

# Les Trois Bossus
# ménestrels

*par* DURAND

Si vous voulez prêter l'oreille et m'écouter un petit
peu, je ne mentirai pas d'un mot et vous conterai une
histoire mise en vers dans ce fabliau.

Elle arriva dans une ville, mais j'en ai oublié le nom,
mettons que ce fût à Douai. C'est là qu'habitait un
bourgeois qui vivait de ses revenus : un bel homme,
ayant bons amis, un bourgeois en tout accompli. Si sa
fortune était modeste, il aurait trouvé au besoin des
ressources grâce au crédit dont il jouissait dans la
ville. Ce bourgeois avait une fille d'une ravissante
beauté, et pour dire la vérité, je pense que jamais
Nature ne fit plus belle créature. Mais m'étendre sur
ce sujet me semble ici hors de propos, car si je voulais m'en mêler, je pourrais faire un pas de clerc et je
crois que mieux vaut me taire que dire chose qui n'est
pas. Dans la ville était un bossu ; je n'en vis jamais
d'aussi laid et pour dire la vérité je crois que Nature
avait mis ses soins à mal le façonner. En tout il était
contrefait : grosse tête et vilaine hure, cou trop court
et larges épaules haut plantées sur un dos voûté. Tenter de faire son portrait serait entreprise insensée :

quel affreux bossu, celui-là ! Il n'eut jamais d'autre
souci que d'accumuler de l'argent et je puis dire sans
mentir qu'il n'était personne en la ville qui fût aussi
riche que lui. Je ne sais comment il s'y prit et cela,
c'était son affaire. Grâce à l'argent qu'il possédait, il
obtint la main de la belle ; mais après l'avoir épousée,
il fut tous les jours en tourment : le bonhomme était
si jaloux qu'il n'avait jamais de repos. Il vivait toujours
portes closes ; jamais nul n'avait droit d'entrer sauf s'il
apportait de l'argent ou s'il venait en emprunter. Il
restait toute la journée assis au seuil de sa maison.

Il advint qu'un jour de Noël arrivèrent trois ménestrels, tous les trois bossus comme lui : ils dirent qu'ils
voulaient passer cette fête en sa compagnie ; il n'était
personne à Douai qui mieux que lui pût les traiter.
Notre homme les mène à l'étage : c'était maison à
escaliers. Ils trouvèrent le repas prêt : les voilà bientôt attablés et je puis dire en vérité que ce fut un très
beau dîner. Le bossu ne lésina pas et régala ses compagnons : on eut pois au lard et chapons. Quand le
repas fut terminé, il fit compter aux trois bossus, je
le sais, vingt sous parisis[1]. Cela fait, il leur défendit de
revenir dans la maison, ni dans l'enclos : s'ils étaient
pris, il les enverrait se baigner dans les eaux glacées
du canal ; l'hôtel donnait sur la rivière qui était large
et très profonde. Là-dessus les bossus s'en vont sans
tarder, la mine joyeuse, car ils avaient, à leur avis, fait
bon emploi de la journée. Quant au maître de la maison, il sort et puis passe le pont.

---

1. Monnaie de Paris.

La dame avait bien entendu rire et chanter les trois bossus ; elle les rappelle aussitôt, désirant qu'ils chantent pour elle, et prend soin de fermer les portes. Tandis que les bossus chantaient et plaisantaient avec la dame, voici le mari revenu : il n'avait pas été bien long. On l'entend crier à la porte ; sa femme reconnaît sa voix. Mais que faire des trois bossus ? Où pourrait-elle les cacher ? Près du foyer sur un châlit[1] on avait placé trois grands coffres : dans chacun d'eux, pour s'en tirer, elle fait loger un bossu. Le mari rentre ; à grande joie il vient s'asseoir près de sa femme ; pourtant il ne s'attarde guère, descend l'escalier et s'en va. La dame est loin d'être fâchée de voir son mari repartir, se proposant de délivrer les bossus cachés dans les coffres ; mais quand elle lève les couvercles, c'est pour les trouver étouffés. La malheureuse est affolée : elle court à la porte, appelle un portefaix[2] qu'elle aperçoit : le garçon arrive aussitôt. « Ami, dit-elle, écoute-moi. Si tu me donnes ta parole de ne pas trahir mon secret et de ne jamais m'accuser de ce que je vais te confier, tu seras bien récompensé : tu recevras, la chose faite, trente livres de bons deniers. » Il est alléché par la somme, il promet, résolu à tout, et monte aussitôt l'escalier. La dame alors ouvre un des coffres. « Ami, ne vous affolez pas. Portez-moi ce cadavre à l'eau : vous me rendrez un fier service. » Il prend un sac qu'elle lui donne ; il y met le corps du bossu et le charge sur son épaule ; il dévale les escaliers, s'en va courant vers

---

1. Cadre du lit.
2. Celui qui porte les fardeaux.

la rivière, du haut du pont le jette à l'eau, et, sans attendre davantage, il retourne vers la maison. La dame a tiré du châlit un autre bossu, à grand-peine, au risque de perdre le souffle. Puis elle s'en écarte un peu. Le portefaix revient joyeux : « Dame, s'écrie-t-il, payez-moi ; je vous ai délivrée du nain ! — Pourquoi vous moquez-vous de moi, répond-elle, fou de vilain ? Le nain est déjà revenu. Au lieu de le jeter à l'eau, vous l'avez ramené ici. Regardez-le bien, il est là. — Comment, par cent diables maudits, est-il donc revenu céans ? Le tour est vraiment incroyable ; il était mort, j'en suis bien sûr. C'est un antéchrist, un démon. Il le paiera, par saint Rémi. » L'homme se saisit du bossu, le met dans un sac et le charge sur son épaule sans effort. Le voici hors de la maison. La dame tire de son coffre, vite, le troisième bossu et l'allonge devant le feu, puis elle revient vers la porte. L'autre jette dans la rivière le bossu, tête la première : « Si je te revois, lui dit-il, cela pourra te coûter cher ! » Dès son retour le portefaix demande à la dame son dû ; elle se borne à lui répondre qu'il sera payé comme il faut et sans avoir l'air d'y toucher le conduit vers la cheminée où gisait le dernier bossu. « C'est un prodige ! s'écrie-t-elle ; vit-on jamais chose pareille ? Regardez-le étendu là. » Le garçon ne rit pas du tout de le voir couché près du feu. « Corbleu, dit-il, quel ménestrel ! Passerai-je donc ma journée à porter ce maudit bossu ? Après l'avoir jeté à l'eau toujours je le vois revenu. » Il le met alors dans un sac et le jette sur son épaule, suant d'angoisse et de colère, puis il dévale l'escalier, se décharge de son fardeau pour le lancer dans la rivière : « Va-t'en, dit-il, à tous les diables ! Aujourd'hui je t'ai trop porté ; mais si tu reviens tu n'auras pas le temps de te repentir. Tu m'as, je crois, ensorcelé. Par le Dieu qui me mit au monde, si je te vois sur mes talons et que j'aie épieu ou bâton, je t'en donnerai sur la nuque et tu seras coiffé de rouge. »

Il regagne alors la maison ; avant de monter l'escalier, il regarde derrière lui et voit le mari qui revient. Il n'a cure de plaisanter ; de la main trois fois il se signe en invoquant le Seigneur Dieu et le voilà bouleversé : « Ma foi ! il doit être enragé puisqu'il ne veut pas me lâcher et qu'il va me serrer de près. Par la targe de saint Morand il me prend pour un paysan : impossible de l'emporter sans qu'il ne revienne à l'instant et qu'il ne s'attache à mes pas ! » Alors il saisit à deux mains un pilon pendu à la porte et court au pied de l'escalier que l'autre s'apprête à monter. « Vous revoilà, sire bossu. C'est, je crois, de l'entêtement. Par le corps de sainte Marie, vous rentrez pour votre malheur. Me tenez-vous pour un nigaud ? » Alors il lève son pilon et lui en assène un tel coup sur la tête — sa grosse tête ! — que la cervelle s'en répand ; il l'étend mort sur les degrés[1], le fourre dans un sac fermé d'une ficelle bien nouée, car il tremble qu'il ne revienne et sort pour le jeter à l'eau. « Va-t'en, dit-il, pour ton malheur ; maintenant je suis assuré qu'on ne te reverra jamais tant que les bois auront des feuilles. » Vite il revient trouver la dame et lui demande son paiement, car il a bien fait son travail.

---

1. Marches d'escalier.

La dame ne lésine pas et compte, sans en rien rabattre, au portefaix, ses trente livres. C'est de grand cœur qu'elle le paie : elle est contente du marché. « J'ai fait bonne journée, dit-elle, puisque me voici délivrée d'un mari qui était si laid : ainsi je n'aurai plus, je crois, de souci tant que je vivrai. »

Durand qui met fin à l'histoire dit que Dieu ne fit jamais fille qu'on ne puisse avoir en payant et qu'il n'est denrée si précieuse qu'on n'obtienne pour de l'argent ; c'est bien là pure vérité. N'est-ce pas grâce à ses deniers que le bossu put épouser la dame qui était si belle ? Maudit soit qui s'attache trop à ce vil argent et maudit qui le premier en fit usage.

# Le Vilain au buffet [1]

Vous saurez par ce fabliau qu'un comte avait un sénéchal hypocrite, avare et retors, un résumé de tous les vices. S'il avait eu quelques déboires, nul familier de la maison ne l'aurait plaint, sachez-le bien, tant il était porté au mal. Son maître obligeait-il quelqu'un, il enrageait ; peu s'en fallait qu'il n'en crevât de jalousie. Mais le comte, estimé de tous, indulgent, ne faisait qu'en rire, sachant que l'autre n'aimait guère voir des hôtes dans la maison. Et ce vilain, comme un pourceau, s'empiffrait, se bourrait la panse ; il sifflait du vin dérobé et mangeait seul, dans sa dépense, maints gras chapons et maints poussins. Là se bornait son ambition.

Un jour, le digne homme de comte envoie partout des messagers et fait savoir qu'il tiendra cour. La Renommée, par le pays, en répand bientôt la nouvelle : on voit accourir aussitôt écuyers, chevaliers et dames. Tout est prêt pour les recevoir ; qui le veut

---

1. Le fabliau est fondé autour d'un jeu de mots : la buffe est une gifle et le buffet désigne au Moyen Âge un banc.

peut franchir la porte. Il en arrive, à mon avis, qui
chez eux n'ont pas eu leur soûl ni en hiver ni en été.
Là, chacun peut se rassasier, à son gré, de viande et
de vin, car tel est le désir du comte. «C'est aujour-
d'hui jouer de malheur, dit le sénéchal, ces gens-là n'y
mettent guère de leur poche. Ils demandent ce qui
leur plaît comme s'il s'agissait d'un œuf. Et j'en connais
bien trente-neuf qui, j'en suis sûr, depuis longtemps,
doivent se serrer la ceinture.»

Arrive Raoul, un vilain qui vient de laisser sa charrue. Le sénéchal tourne les yeux, jette un regard sur
le bonhomme : un être laid, crasseux, hirsute ; il y avait
bien cinquante ans qu'il n'avait porté coiffe en tête. Le
mauvais cœur qui pousse à faire méchanceté et vilenie
et cruauté et félonie met le sénéchal hors de lui. Il va
au-devant du vilain, indigné, blême de colère : «Voyez
cet avaleur de pois ! s'écrie-t-il. Par le Saint-Esprit, c'est
malgré moi qu'il est ici. Il a dû se rouler par terre pour
être frisé comme il l'est. Voyez cette mine réjouie ! Il
en faudrait des écuellées de purée pour farcir son
ventre. Qu'il soit torturé de coliques ! Et je souhaite
qu'il en crève.» Ainsi le sénéchal épanche et sa fureur
et son dépit. «Qu'il soit jeté dans les latrines celui qui
t'a mené ici !» À ces mots, avec sa main droite, l'autre
fait un signe de croix. «Sire, dit-il, par saint Germain,
je viens manger ; j'ai ouï dire qu'ici on a tout à son gré.
Mais je ne sais pas où m'asseoir. — Tiens, je vais te
prêter un siège», dit le sénéchal par risée. Levant la
main il lui applique sur la joue une grande buffe et puis
siffle pour le narguer. «Assieds-toi donc sur ce buffet
que je te prête ; installe-toi.» Il fait apporter une
nappe, dit qu'on lui donne viande et vin à discrétion,

car il espère que le vilain va s'enivrer : de là prétexte
à le rosser et à lui ôter toute envie de reparaître chez
un comte.

Que pourrais-je vous dire encore ? On appelle les
ménestrels et le comte leur fait crier qu'à celui
d'entre eux qui dira ou fera la meilleure truffe, il don-
nera, en récompense, sa robe neuve d'écarlate. Tous
les ménestrels s'encouragent à bien exercer leurs
talents : l'un fait l'idiot, l'autre l'ivrogne ; l'un chante
et l'autre l'accompagne ; un autre récite un débat et
les jongleurs jouent de la vielle. Celui-ci conte un
fabliau où les bons tours ne manquent pas, et celui-
là dit l'Herberie [1], un récit des plus réjouissants. Le
vilain songe à se venger de l'affront qu'il vient de
subir ; mais pour le faire, il veut attendre que tous les
jongleurs se soient tus. À ce moment le sénéchal s'approche du comte et lui parle ; alors le vilain prend sa
nappe, tranquillement, sans se presser, va devant le
comte et regarde le sénéchal qui n'y prend garde, tout
entier à son entretien. Et le vilain lève la main, une
main épaisse et calleuse : il aurait fallu, je crois bien,
aller jusqu'au pays de Galles pour trouver gaillard
mieux pourvu. Il lui assène un grand soufflet et lui dit :
« Voici le buffet et la nappe que je vous rends. Je ne
veux pas les emporter : c'est mauvais marché de prêter à celui qui ne sait pas rendre. » Aussitôt tous les
gens du comte veulent corriger le vilain ; ils ont pitié
du sénéchal qui se jette aux pieds de son maître.
Celui-ci dit qu'il veut savoir pourquoi le vilain l'a
frappé et puisqu'il l'ordonne, ils se taisent. Il interroge

---

1. Récit comique composé par Rutebeuf.

le vilain : « Vraiment tu as eu de l'audace de le gifler en ma présence. Tu t'es mis dans de mauvais draps, car c'est une très lourde faute : je vais t'envoyer en prison. — Sire, dit l'autre, écoutez-moi, accordez-moi quelques instants. Quand je suis arrivé ici, j'ai trouvé votre sénéchal, un triste et vilain personnage, qui m'ayant abreuvé d'injures, m'allongea une grande buffe et me dit, pour me brocarder [1], d'aller m'asseoir sur ce buffet, ajoutant qu'il me le prêtait. Après avoir bu et mangé, sire comte, que faire d'autre sinon lui rendre son buffet ? Je l'ai rendu devant témoins et sous vos yeux, vous l'avez vu. Avant de vous laver les mains, dites-moi si je suis coupable et si je dois être arrêté. Il faut bien qu'on me tienne quitte : j'ai rendu ce qu'on m'a prêté. Et me voici tout disposé à lui rendre un autre buffet si le premier ne suffit pas. »

Le comte Henri se met à rire, et le rire gagne la salle pour se prolonger très longtemps. Le sénéchal ne sait que faire ; il tient sa main contre sa joue toute rouge et toute brûlante, furieux qu'on se moque de lui. Il eût riposté volontiers, mais il n'ose à cause du comte qui l'invite à se tenir coi. « Il t'a bien rendu ton buffet et tout ce qu'il avait à toi », lui fait le comte ; et au vilain : « Je te donne ma robe neuve ; c'est toi, de tous les ménestrels, qui as fait la meilleure truffe. — Ma foi, déclarent les jongleurs, sire comte, vous dites vrai ; il a bien mérité la robe. Jamais ne fut si bon vilain : il a payé le sénéchal et n'a pas manqué de lui rendre la monnaie de son insolence. » Et le vilain quitte la cour, emportant la robe du comte ; il dit,

---

1. Se moquer de moi.

ayant franchi la porte : « Qui reste chez lui dépérit, et puis : Qui voyage en profite. Si j'étais resté au logis, je n'aurais jamais endossé de robe neuve d'écarlate. On dit : Qui bien chasse, bien trouve. »

# Boivin de Provins

par « LUI-MÊME »

Un vrai farceur, c'était Boivin. Un beau jour il se mit en tête d'aller à la foire à Provins et de faire parler de lui. Il exécute son projet : il s'habille de bureau gris[1], cotte et surcot, et chape aussi ; il met des chausses de bouras[2] ; faits de solide cuir de vache, ses souliers n'ont pas de lacets ; en homme qui sait plus d'un tour, il a laissé pousser sa barbe un mois et plus sans la raser. Il prend un aiguillon en main pour mieux avoir l'air d'un vilain, se procure une grande bourse et met dedans douze deniers, tout son avoir ni plus ni moins. Il va dans la rue aux putains, droit vers la maison de Mabile, la plus finaude, la plus rouée des femmes vivant à Provins. Là, il s'assied sur une souche qui était devant la maison ; il dépose son aiguillon et se tourne un peu vers la porte. Ce qu'il fit, vous allez l'entendre.

« Ma foi, dit-il, en vérité, puisque je suis hors de la foire, en lieu sûr et loin des passants, je devrais bien

---

1. Tissu épais et rêche de couleur grise.
2. Laine.

de mon argent calculer moi-même la somme ; ainsi font les gens avisés. J'ai, de Rouget, trente-neuf sous. Giraut m'a pris douze deniers pour m'avoir aidé à la vente. Qu'il aille donc se faire pendre puisqu'il a volé mon argent ! Douze deniers à ce gueux-là ! Pourtant je lui ai fait du bien, en pure perte, c'est ainsi ; et quand il voudra labourer et qu'il devra semer son orge, il viendra m'emprunter mes bêtes. Mais qu'on m'étrangle si jamais il peut tirer de moi profit. Je vais bien le mettre à sa place ! Maudits soient-ils, lui et sa race ! Mais je reviens à mon affaire. De Sorin j'ai eu dix-neuf sous et là je n'ai pas été fou car mon compère dam Gautier ne m'en donnait pas un tel prix et voulait avoir du crédit. J'ai bien fait de vendre au marché. Ainsi, voilà tout mon avoir. Dix-neuf sous et puis trente-neuf, c'est ce que m'ont valu mes bœufs. Je ne sais combien cela fait. Dieu ! si je mettais tout en compte, je ne saurais m'y retrouver ; si l'on m'en faisait le total, je serais des mois à comprendre à moins d'avoir fèves ou pois, chaque pois comptant pour un sou : je pourrais ainsi m'en tirer. Cependant je sais par Sirout que j'ai, des bœufs, cinquante sous qu'il a comptés, qu'il a reçus ; j'ignore s'il m'a escroqué ; il dit que deux setiers[1] de blé, et ma jument, et mes cochons, et la laine de mes agneaux me rapportèrent tout autant. Deux fois cinquante et voilà cent, prétend celui qui fit mon compte : le tout, dit-il, monte à cinq livres. Mais je n'aurai pas de repos que ma bourse qui est bien pleine ne soit vidée en mon giron. »

---

1. Ancienne mesure agraire.

Et les marlous de la maison disent : «Viens donc, Mabile, écoute! Cet argent est à nous sans doute si tu fais entrer ce vilain; il n'en peut faire bon usage.» Mabile répond : «Laissez-le, laissez-le toujours calculer, laissez-le compter tout en paix, car il ne saurait m'échapper. Cet argent-là, je vous le dois. Crevez-moi les yeux, je l'octroie, s'il en peut garder un denier.» Mais le jeu ira autrement qu'elle ne pense, ce me semble : le vilain ne compte et rassemble que les douze deniers qu'il a. Tant il compta et recompta qu'il dit : «Voilà cinq fois vingt sous. Maintenant il me faut cacher tout cet argent, ce sera sage. Mais une idée me vient en tête : si j'avais là ma douce nièce qui est fille de ma sœur Tièce, elle aurait en main mon avoir. Elle s'en alla par folie hors du pays en autre terre; je l'ai fait souvent rechercher en bien des lieux, en bien des villes. Hélas! douce nièce Mabile, vous étiez de si bon lignage[1]! Pourquoi avoir fait cette fugue? Mes enfants sont morts tous les deux, ma femme aussi, dame Tiersant. Je n'aurai jamais joie au cœur avant d'avoir revu ma nièce. J'entrerais chez les moines blancs; elle aurait ce que je possède et pourrait faire un beau mariage.» Il exhale ainsi ses regrets.

Mabile sort au même instant, près de lui s'assied et demande : «De quel lieu êtes-vous, prudhomme? Je voudrais savoir votre nom. — Mon nom est Foucher de la Brouce; mais vous ressemblez à ma nièce plus que femme qui soit au monde.» Elle se pâme sur la souche, puis, se redressant, elle dit : «Voilà tous mes

---

1. De noble origine.

vœux accomplis. » Elle lui saute au cou, l'embrasse, lui baise la bouche et la face sans paraître se rassasier; et l'autre, qui sait bien tromper, serre les dents et puis soupire : « Belle nièce, je ne puis dire la grande joie que j'ai au cœur. Êtes-vous fille de ma sœur ? — Mais oui, sire, de dame Tièce. — À cause de vous, reprend-il, il y a certes bien longtemps que je n'avais eu de plaisir. » Il la prend par le cou, la baise et tous deux mènent grande joie.

Deux marlous sortent du logis. Ils demandent : « Cet homme-là est-il natif de votre ville ? — Oui, c'est mon oncle, dit Mabile, dont je vous ai dit tant de bien. » Elle se tourne un peu vers eux, tire la langue et tord la joue; les marlous lui font la grimace. « Vraiment, c'est votre oncle ? — Vraiment. — Vous devez tous deux en avoir grand honneur, nous n'en doutons pas. Et vous prudhomme, ajoutent-ils, soyez sûr que nous sommes vôtres. Par saint Pierre, le bon apôtre, vous aurez l'hôtel Saint-Julien. Il n'est pas d'homme jusqu'à Gien qui puisse nous être plus cher. » Prenant dam Foucher par les bras, ils le font entrer au logis.

« Maintenant, amis, dit Mabile, achetez-moi oies et chapons. — Dame, font-ils, un mot d'abord. Nous n'avons pas du tout d'argent. — Taisez-vous donc, mauvaises gens ! Engagez manteaux et surcots : au vilain de régler la note. L'écot vous sera bien payé, car vous aurez plus de cent sous. » Que vais-je encore vous conter ? Partis pour chercher la pitance, les ribauds sans tarder rapportent deux gras chapons avec deux oies. Et le vilain leur fait la moue sitôt qu'ils ont le dos tourné. Mabile leur dit : « Maintenant, hâtez-vous de tout préparer. » Représentez-vous les

marlous plumant les chapons et les oies ! Quant à
Ysane, elle s'empresse d'allumer le feu et s'affaire. Là-
dessus, Mabile reprend l'entretien avec son vilain :
« Oncle, dites-moi comment vont votre femme et
mes deux neveux ; ils sont bien portants, je l'espère ? »
Et le vilain de lui répondre : « Belle nièce, tous trois
sont morts ; j'ai pensé périr de chagrin. Mais vous
serez mon réconfort dans mon pays, dans notre ville.
— Hélas ! hélas ! répond Mabile, je devrais en devenir folle ; mais si c'était après dîner, les choses sans
doute iraient mieux. Hélas ! j'ai vu cela en rêve quand
je dormais, la nuit dernière. — Dame, les chapons à
la broche sont bien cuits et les oies aussi, dit Ysane
pour les presser. Ma douce dame, il faut aller vous
laver les mains sans tarder, et laissez là votre chagrin. » Les marlous lorgnent le vilain et celui-ci, qui
n'est pas borgne, voit bien qu'on pense le duper.
« Sire prudhomme, disent-ils, vous n'êtes guère rai-
sonnable. Aux morts préférez les vivants. » Et les voilà
tous attablés ; ce n'était pas dîner pour rire : tout leur
fut servi à plenté. Les meilleurs vins ne manquaient
pas : ils font bien boire le vilain, espérant lui tourner
la tête ; mais celui-ci ne les craint pas. Il glisse une
main sous sa chape et feint d'en tirer de l'argent. « Bel
oncle, que cherchez-vous là, fait Mabile, dites-le-moi ?
— Je sais et je vois, belle nièce, que ce repas vous
coûte cher. Je vais donner douze deniers. » Mabile et
les marlous protestent : « Vous ne paierez pas un
denier. »

Quand le repas fut terminé et qu'on eut enlevé la
table, Mabile pria les marlous d'aller faire un tour dans
la rue : « Prendre l'air vous fera du bien après cet

excellent dîner; songez maintenant au souper.» Sur
ce, les deux ribauds s'en vont; derrière eux on ferme
la porte. Mabile demande au vilain : «Oncle, pendant
votre veuvage — répondez-moi sans rien cacher —,
avez-vous fréquenté des femmes? Pour supporter
manque de femme, vraiment il faut être bien fou! Se
passerait-on de servante? — Jamais, depuis plus de
sept ans. — Depuis si longtemps? — Oui, au moins.
Cela ne me tourmente guère. — Taisez-vous, oncle,
Dieu vous aide! Mais regardez-moi cette fille!» Elle
bat sa coulpe trois fois : «Oncle, j'ai fait un gros péché
en l'enlevant à sa famille. Son pucelage est un trésor.
Mais vous l'aurez, car je le veux.» Mabile fait signe à
Ysane, d'un clin d'œil, de couper la bourse. Ysane est
bientôt devancée : dam Foucher tranche les cordons,
glisse la bourse en son giron et la cache sur sa chair
nue. Là-dessus, il rejoint Ysane, tous deux s'en vont
au lit ensemble et le vilain prend son plaisir... Remon-
tant ses braies[1], il regarde les cordons pendants de
sa bourse : «Hélas! fait-il, pauvre de moi! J'ai fait bien
mauvaise journée! Nièce, on vient de voler ma
bourse : cette femme me l'a coupée.» L'entendant,
Mabile est en joie, convaincue que c'est vérité et pensant tenir le magot. Aussitôt elle ouvre la porte.
«Dam vilain, dit-elle, dehors! — Mais faites-moi
rendre ma bourse! — Vous aurez corde pour vous
pendre. Sortez vite de la maison avant que je prenne
un bâton.» Et elle brandit une bûche. L'autre s'en va,
craignant les coups; on lui claque la porte au cul.
Autour de lui les gens s'attroupent et le vilain leur

---

1. Pantalon ample.

montre à tous que sa bourse a été coupée. Mabile
alors dit à Ysane : « Donne-moi la bourse bien vite :
le vilain va chez le prévôt. — J'en atteste saint Nicolas, fait Ysane, je ne l'ai pas et je l'ai pourtant bien
cherchée. — Peu s'en faut que je ne te brise, sale
pute, toutes les dents. N'ai-je pas vu les deux cordons que tu as coupés, je le sais ? Penses-tu la garder
pour toi ? Si je dois dire un mot de plus... Vieille pute,
donne-la vite ! — Dame, comment vous donnerais-je,
dit l'autre, ce que je n'ai pas ? » Mabile alors bondit
sur elle, la saisit par ses longs cheveux ; elle la ren-
verse par terre, coups de poing pleuvent et coups de
pied. « Laissez-moi, je vais la chercher et finirai par la
trouver si vous voulez bien me lâcher. — Eh bien !
va-t'en, et sans tarder. » Mabile fouille la paillasse,
espérant y trouver la bourse. « Dame, écoutez-moi,
dit Ysane. Puissé-je perdre corps et âme s'il me fut
donné de la voir. Vous pouvez me tuer ici. — Par
Dieu, pute, tu en mourras. » Par les cheveux et par
la robe, elle l'a traînée à ses pieds. Ysane crie : « À
l'aide ! à l'aide ! »

De la rue, son marlou l'entend, et il accourt à
toutes jambes. Il bat la porte à coups de pied et la fait
voler hors des gonds. Il saisit Mabile au collet, la tire
si bien qu'il l'arrache et qu'il lui déchire sa robe ; et
la voilà nue jusqu'au cul. Puis il la prend par les cheveux et lui donne de grands coups de poing sur le
visage, sur les joues qui deviennent perses et bleues.
Mais elle reçoit du secours ; son ami accourt à ses
cris. Et aussitôt, sans plus attendre, les ribauds en
viennent aux mains. Vous auriez pu voir la maison
s'emplir de marlous, de putains. Chacun au combat

met les mains : tous de s'arracher les cheveux et de faire voler des bûches ; leurs vêtements sont en lambeaux ; ils se renversent l'un sur l'autre. Les marchands courent pour les voir la tête couverte de sang. C'était une rude bataille. Et beaucoup de gens s'en mêlèrent qui ne partirent pas jolis : tel entra avec robe vaire qui sortit avec robe pourpre.

Boivin alla voir le prévôt et sans en omettre un seul mot lui confessa la vérité : et le prévôt l'a écouté, car il aimait bien les bons tours. Il lui fit raconter sa vie à ses parents, à ses amis qui s'en sont beaucoup amusés. Boivin resta trois jours entiers et le prévôt prit dans sa bourse dix sous qu'il donna à Boivin qui fit ce fableau à Provins.

# Le Vilain de Bailleul

### par JEAN BODEL

Si l'on peut croire un fabliau, il arriva, m'a dit mon
maître, qu'à Bailleul vivait un vilain qui, ni changeur ni
usurier, peinait sur des terres à blé.

Un jour, à l'heure de midi, il s'en revint très affamé.
Il était de taille étonnante, un vrai diable, à la laide
hure [1]. Sa femme de lui n'avait cure, car il était sot
et hideux. Mais elle aimait le chapelain : elle et lui
s'étaient mis d'accord pour passer la journée
ensemble. Tout était déjà préparé; le vin était dans
le baril; elle avait fait cuire un chapon et le gâteau,
je pense bien, était couvert d'une serviette. Arrive
le vilain qui bâille et de faim et de lassitude; elle
court lui ouvrir la porte sans se réjouir de sa venue;
c'était l'autre, bien entendu, qu'elle eût préféré
recevoir.

Elle lui dit, pour le tromper, en femme qui, du fond
du cœur, souhaitait qu'il fût enterré : « Sire, Dieu
veuille me bénir! que vous êtes pâle et défait! Vous
restent les os et la peau. — Erme, dit-il, je meurs de

---

1. Au laid visage.

faim. A-t-on fait bouillir les matons[1]? — Oui, vous
mourez, j'en suis certaine; vous n'entendrez rien de
plus vrai. Couchez-vous vite, vous mourez. Pauvre de
moi, quelle infortune! Après vous, peu me chaut[2] de
vivre, puisque vous allez me quitter. Mais, sire, vous
vous en allez! Vous allez bientôt rendre l'âme. — Vous
moquez-vous de moi, dame Erme? J'entends bien nos
vaches mugir; je n'ai pas envie de mourir et pourrais
certes vivre encore. — Sire, la mort qui vous enivre
tant vous épuise et vous accable qu'il ne reste de vous
qu'une ombre; elle va vous gagner le cœur. — Eh bien,
couchez-moi, belle sœur, fait-il, puisque je suis perdu.»
Elle s'évertue, de son mieux, à le leurrer par ses mensonges. Dans un coin elle lui prépare un lit fait de cosses
de pois, de paille, avec des draps de chanvre, puis le
déshabille, le couche, lui ferme les yeux et la bouche et
se laisse choir sur son corps. «Frère, dit-elle, tu es
mort. Que Dieu ait pitié de ton âme! Que deviendra
ta pauvre femme qui pour toi mourra de douleur?» Le
vilain gît sous le linceul: il est convaincu d'être mort.

La femme, maligne et finaude, aussitôt va trouver
le prêtre pour lui parler de son vilain et lui raconter
sa sottise. L'un et l'autre sont fort heureux qu'il en
soit ainsi advenu. Voici qu'ils reviennent ensemble,
s'entretenant de leur plaisir. Quand le prêtre a franchi la porte, il se met à lire ses psaumes[3] et la femme
se bat les paumes[4]. Mais si dame Erme excelle à

---

1. Boulettes de viande cuites dans du lait.
2. Peu m'importe.
3. Le prêtre récitait des psaumes au chevet des défunts.
4. Au Moyen Âge, on se battait les paumes en signe de douleur.

feindre, avant d'en arriver aux larmes, elle se lasse,
elle abandonne ; le prêtre écourte ses prières : à quoi
bon recommander l'âme ! Il prend la dame par la main,
l'emmène dans un autre coin. Il la défait, la déshabille
et sur un lit de paille fraîche tous les deux prennent
leurs ébats, elle dessous et lui dessus. Le vilain, couvert du linceul, mais qui garde les yeux ouverts, ne
peut ignorer le manège : il voit bien la paille remuer
et le chapelain s'agiter. Il le reconnaît, c'est le prêtre.
« Aïe ! aïe ! dit le vilain au prêtre, affreux fils de putain,
certes, si je n'étais pas mort, vous auriez fort à regret-
ter de vous en être pris à elle ; nul n'eût été mieux
corrigé que vous le seriez, sire prêtre. — Ainsi, fait
l'autre, c'est possible. Seriez-vous encore vivant,
votre corps aurait-il son âme, je serais venu à regret ;
puisque vous êtes trépassé, je puis bien agir à mon
aise. Tenez-vous coi, fermez les yeux, vous ne devez
plus les ouvrir. » Le vilain clôt donc ses paupières et
prend le parti de se taire. Quant au prêtre, il eut son
plaisir sans inquiétude ni souci. Mais je ne puis vous
affirmer si le lendemain au matin ils enterrèrent le
vilain.

Le fabliau dit à la fin qu'on doit tenir pour fou celui
qui croit mieux sa femme que lui.

## Le Prêtre qui fut mis
## au lardier

C'est d'un savetier, afin qu'on en rie, que sans vilain mot je dirai l'histoire : un nommé Baillet, qui à son grand dam[1] prit femme trop belle. Elle eut la faiblesse de s'amouracher d'un prêtre joli ; mais le savetier sut bien s'en tirer. Quand Baillet allait hors de sa maison, le prêtre venait, sans perdre de temps, pour fourbir l'anneau de la savetière[2]. Tous deux à leur gré prenaient leur plaisir ; ils se régalaient des plus fins morceaux et des meilleurs vins ne se privaient pas. Le bon savetier avait une fille d'environ trois ans qui parlait fort bien. Elle dit, tandis qu'il tirait l'aiguille : « Ma mère est fâchée quand vous restez là. » Baillet répondit : « Pourquoi, mon enfant ? — Parce que le prêtre a grand peur de vous. Si vous allez vendre vos souliers aux gens, on voit rappliquer messire Laurent ; il fait apporter des plats excellents, ma mère prépare tartes et pâtés. Quand la table est mise, on m'en donne assez ; je n'ai que du pain quand vous êtes là. »

---

1. Pour son grand malheur.
2. L'expression désigne l'acte sexuel.

Baillet est certain, l'ayant entendue, que la savetière n'est pas toute à lui. Il n'eut l'air de rien jusqu'à un lundi qu'il dit à sa femme : « Je vais au marché. » Elle, souhaitant qu'il fût écorché, lui dit : « Allez-y et dépêchez-vous. » Quand elle pensa qu'il se trouvait loin, elle manda l'autre qui, s'étant pourvu de quoi festoyer, arriva joyeux. Alors elle fit préparer un bain. Mais Baillet ne fut pas du tout honteux ; droit à la maison il s'en revint seul. Le prêtre à coup sûr pensait se baigner ; mais Baillet le voit, par un trou du mur, se déshabiller. Il frappe à la porte, se met à crier ; sa femme l'entend et ne sait que faire. Elle dit au prêtre : « Mettez-vous bien vite dans ce lardier-là et ne sonnez mot. » Rien de ce manège n'échappe à Baillet ; mais la savetière l'appelle et lui dit : « Vous venez à point. Sachez tout de suite que je m'attendais à votre retour : aussi j'ai tenu prêt votre dîner et un bain bien chaud ici vous attend ; je l'ai préparé par amour pour vous ; prendre du bon temps vous est nécessaire. » Baillet, qui voulait jouer d'un autre tour, lui dit : « Dieu m'avait en tout point aidé, mais je dois encore aller au marché. » Le prêtre caché en a grande joie ; il ne peut savoir ce que veut Baillet. Baillet fait appel à tous ses voisins ; il les fait bien boire et puis il leur dit : « Sur une charrette il me faut hisser ce vieux lardier-là, car je vais le vendre. » Le prêtre tremblait, tout glacé de peur.

On fit aussitôt charger le lardier. Baillet sans tarder va le transporter là où il a vu très grande affluence. Quant au pauvre prêtre, resté prisonnier, il avait un frère, un riche curé, qui savait déjà la mésaventure et vint bien monté. Par une fissure au flanc du lardier le prêtre le voit, se met à crier : «*Frater, pro Deo, delibera me*[1].» Baillet, l'entendant, s'écrie à son tour : «Voyez, mon lardier a parlé latin! Je voulais le vendre, mais, par saint Simon, il vaut bien trop cher : nous le garderons. Qui lui a appris à parler latin? C'est devant l'évêque qu'il faut l'amener; mais je veux, avant, le faire parler. Je l'ai eu longtemps, j'en veux m'amuser.» Le frère du prêtre le pria ainsi : «Baillet, veux-tu être toujours mon ami? Vends-moi ce lardier et, je te le dis, je l'achèterai quel qu'en soit le prix.» Baillet répondit : «Mon lardier vaut cher : il parle latin devant tout le monde.» Vous allez comprendre comme il est madré[2]. Voulant mieux le vendre, il prend un maillet; il jure par Dieu qu'il va assener tel coup au lardier qu'il sera brisé s'il ne veut encore dire du latin. Alors autour d'eux la foule se presse; bien des gens prenaient Baillet pour un fou, mais ils étaient sots. Il dit, par saint Paul, que du grand maillet qu'il porte à son cou, bientôt le lardier sera mis en pièces. Le malheureux prêtre, qui était dedans, ne savait que faire et perdait le sens : il n'osait se taire, il n'osait parler et il invoquait le roi débonnaire. «Pourquoi, dit Baillet, faut-il tant tarder? Si, méchant lardier, tu veux rester muet, tu seras brisé en mille morceaux.» Et le prêtre dit, n'osant plus attendre : «*Frater, pro Deo, me delibera. Reddam tam cito* ce qu'il coûtera[3].» Baillet, l'entendant, s'écrie à tue-tête :

---

1. «Frère, au nom de Dieu, délivre-moi.»
2. Rusé.
3. «Frère, au nom de Dieu, délivre-moi. Je te rendrai au plus tôt ce qu'il coûtera.»

«Tous les savetiers me doivent aimer, car je fais parler latin au lardier.» Le frère du prêtre lui dit : «Mon voisin, je vous en supplie, vendez ce lardier ; ce serait folie si vous le brisiez. Ne me traitez pas pis que vous pouvez. — Sire, au nom des saints, je le puis jurer : j'en aurai vingt livres de bons parisis ; mais il en vaut trente, car il est bien fait.» Le curé n'osa discuter le prix : il alla compter à Baillet vingt livres, puis il fit porter ailleurs le lardier ; il put délivrer son frère en cachette, et sut le tirer d'un bien mauvais pas en lui épargnant un grand déshonneur. Baillet eut vingt livres grâce à son astuce ; ainsi fut sauvé messire Laurent : je crois que depuis il perdit le goût de chercher maîtresse chez un savetier.

Par cette chanson je veux témoigner que du petit œil il faut se méfier. *Ex oculo pueri noli tua facta tueri*[1]. C'est par la fillette qui était jeunette que tout fut connu. Pas un tonsuré, même de haut rang, qui n'eût à la fin récolté le pis s'il s'était frotté à ce savetier. Vous, jolis garçons, il faut vous garder d'être mis un jour en un tel lardier.

---

1. «Garde-toi de laisser voir ce que tu fais par l'œil d'un enfant.»

# La Bourgeoise d'Orléans

Vous plairait-il d'une bourgeoise entendre la bien bonne histoire ? Elle était née à Orléans et son mari était d'Amiens, un homme riche à démesure : du trafic comme de l'usure il savait les tours et les ruses et ce qu'il tenait dans ses mains était très fermement tenu. À la ville un jour arrivèrent, pour y étudier, quatre clercs, portant leurs livres et leur linge dans un sac pendu à leur cou ; c'étaient des garçons gros et gras, car ils avaient bel appétit. Ils étaient bien vus dans la rue où ils avaient trouvé un gîte. L'un d'eux, fils de riche famille, allait souvent chez ces bourgeois ; on aimait ses bonnes manières, car il n'était ni vain ni fat[1] et la bourgeoise, assurément, se plaisait en sa compagnie. Tant il y vint, tant y alla que le mari se mit en tête de lui donner une leçon, soit par feinte, soit par parole, espérant bientôt arriver à le tenir à sa merci.

Il avait chez lui une nièce qu'il hébergeait depuis

---

1. Prétentieux.

longtemps ; en secret il la fait venir et lui promet un
cotillon[1] pourvu qu'elle ait l'œil sur l'affaire et lui dise
la vérité : elle accepte sans hésiter. Quant au clerc il
a tant pressé la dame, il a tant fait sa cour qu'elle a
cédé à ses prières. La nièce les épie si bien qu'elle
arrive à savoir enfin comment ils ont tiré leur plan ;
elle vient trouver le bourgeois et lui révèle leur
accord : la dame avertirait le clerc si l'homme partait
en voyage ; le galant viendrait à la porte d'un verger
indiqué par elle : c'est là qu'elle irait le rejoindre
quand il ferait tout à fait nuit. Le bourgeois, heureux
d'être au fait, maintenant va trouver sa femme : « Il
me faut aller, lui dit-il, là où m'appelle mon commerce.
Veillez au logis, chère amie, comme doit faire femme
honnête. Quand reviendrai-je ? Je l'ignore. — Sire,
fait-elle, volontiers. » Il donne aux charretiers ses
ordres et dit qu'il s'en ira gîter pour gagner du temps
sur sa route à quelque trois lieues de la ville. La dame
ne voit pas la ruse et vite en avertit le clerc. Le mari,
voulant les duper, après avoir logé ses gens, vint à la
porte du verger sitôt que la nuit fut tombée. La dame,
sans faire de bruit, ouvre la porte de son clos ; elle
l'accueille à bras ouverts, pensant que c'était son ami,
mais son espoir sera déçu : « Soyez le bienvenu », dit-
elle, se gardant bien de parler haut ; il rend le salut à
voix basse. Tandis qu'ils vont par le verger, l'homme
tient la tête baissée ; la bourgeoise se penche un peu,
regarde sous le chaperon et découvre la fourberie.
Elle se rend compte aussitôt que son mari veut la

---

1. Jupon.

leurrer : elle lui rendra la pareille. La femme a meilleurs yeux qu'Argus [1] ; depuis les premiers temps du monde elle excelle, par sa malice, à donner le change aux plus sages. « Sire, dit-elle, quelle joie de pouvoir vous avoir ici ! Je vous donnerai, de ma bourse, de quoi récupérer vos gages si vous taisez bien notre affaire. Venez avec moi sans façons ; vous trouverez une cachette dans un grenier dont j'ai la clef. Là, vous m'attendrez gentiment. Lorsque mes gens auront mangé et que tous se seront couchés, je vous mettrai sous ma courtine et personne n'en saura rien. — Dame, répond-il, c'est bien dit. » Dieu ! qu'il avait petite idée de ce qu'elle ourdit et prépare. L'ânier rumine quelque chose, mais son âne en médite une autre. L'homme aura bien triste logis. Quand la femme l'eut enfermé dans le grenier à double tour, revenant à l'huis du verger, elle y rencontre son ami, l'accueille à bras ouverts, le baise. Le second est mieux partagé, à mon avis, que le premier : la dame laisse le bourgeois se morfondre dans la soupente. Ils ont traversé le courtil et sont arrivés à la chambre où les draps sont prêts dans le lit ; elle y fait entrer son ami et le met sous la couverture ; quant à lui bientôt il s'exerce au jeu que l'amour lui commande. Au prix de ce jeu tous les autres ne valent pour lui qu'une amande. Longtemps ils se sont amusés et bien baisés et caressés : « Ami, dit alors la bourgeoise, restez ici, attendez-moi ; je vais faire manger mes gens et nous souperons vous et moi bien en paix cette nuit encore. » Il répond : « Dame, à votre gré. »

---

1. Géant aux cent yeux.

Elle sort et va dans la salle, de son mieux réjouit
ses gens ; et quand le repas est servi, tous à plaisir
mangent et boivent. Avant qu'ils ne quittent la salle,
elle leur parle aimablement. Il y avait là deux neveux
de son mari, un porteur d'eau, trois chambrières et
la nièce, deux valets, un homme de peine. « Seigneurs,
dit-elle, Dieu vous sauve ! Et maintenant écoutez-moi.
Un clerc fréquente la maison, vous l'avez souvent vu
venir, qui ne peut me laisser en paix. Depuis longtemps il me courtise ; je l'ai rabroué trente fois.
Voyant que je perdais mon temps, je promis alors de
lui faire son plaisir et sa volonté quand mon mari
voyagerait. Or il voyage, Dieu le garde ! Je vais donc
tenir ma promesse à celui qui toujours m'ennuie ; il
est arrivé à ses fins. Il m'attend au grenier là-haut. Je
vous donnerai un gallon du meilleur vin qui soit ici
pourvu que je prenne vengeance. Allez le voir dans
son grenier ; qu'il soit debout, qu'il soit couché,
rouez-le de coups de bâton. Appliquez-lui tant de
horions que jamais plus il ne s'avise de courtiser
femme de bien. » Les gens, entendant la besogne, bon-
dissent tous sans plus tarder : l'un prend bâton, l'autre
gourdin, l'autre pilon gros et poli. La dame leur donne
la clef. Qui tous les coups mettrait en taille [1], je le tien-
drais pour bon comptable. « Ne le laissez pas s'échapper et qu'il reste dans le grenier ! — Par Dieu, font-ils,
sire clergeon, vous recevrez la discipline [2]. » On

---

1. Les marchands de tissus faisaient une encoche sur un bout
de bois et notaient ainsi la quantité de marchandises livrées. Les
tailles désignent ces petites coupures.
2. Fouet de lanières.

couche le bonhomme à terre et par la gorge on le saisit ; de son chaperon ils l'étranglent si bien qu'il ne peut sonner mot ; les coups commencent à pleuvoir : de horions[1] ils ne sont pas chiches. En eût-on donné mille marcs, on n'eût mieux roulé son haubert. Ses neveux, à maintes reprises, s'acharnent à bien l'étriller[2], d'abord dessus et puis dessous. Crier merci ne lui vaut rien. Comme un chien crevé ils le traînent et le jettent sur un fumier. Les gens regagnent la maison ; on leur sert bons vins à foison, les meilleurs qui fussent en cave, et des blancs et des auvernats[3]. Ils sont traités comme des rois. La dame prend gâteaux et vin, une blanche nappe de lin et grosse chandelle de cire. Elle passe avec son ami la nuit entière jusqu'au jour. Par amour, lorsqu'il s'en alla, elle lui fit don de dix marcs et le pria de revenir toutes les fois qu'il le voudrait.

L'autre, étendu sur le fumier, se traîne du mieux qu'il le peut afin de retrouver ses hardes. Ses gens, le voyant si meurtri, s'en désolent et, tout interdits, lui demandent comment il va : « Je vais bien mal, leur répond-il, ramenez-moi dans ma maison et ne me demandez plus rien. » Sans plus attendre, ils le relèvent. Mais le voilà réconforté, il n'a plus de fâcheux soupçons : il sent sa femme si loyale ! Tout son mal ne vaut pas un œuf ; il se dit, s'il se rétablit, que toujours il la chérira. Il la retrouve à la maison ; vite elle lui fait préparer un bain avec de bonnes herbes et le

---

1. Coups violents.
2. Malmener violemment.
3. Vins rouges d'Auvergne.

voilà bientôt guéri. « Qu'est-il arrivé ? lui fait-elle. —
Il m'a fallu franchir, dit-il, une passe bien malaisée et
j'en ai les os tout rompus. » Les gens de sa maison lui
content comment ils ont traité le clerc que leur avait
livré la dame. Par mon chef, elle s'en tira comme une
femme honnête et sage ; depuis, son mari n'osa plus
la blâmer ni la soupçonner, mais elle ne fut jamais
lasse d'aimer tous les jours son ami avant qu'il rentre
en son pays.

# L'Enfant de neige

Il était jadis un marchand qui ne restait jamais oisif et qui savait bien s'enrichir. Il voyageait en maints pays pour monnayer ses marchandises et pour accroître son avoir : il n'était pas souvent chez lui. Il laissa sa femme au logis un jour qu'il partait trafiquer — c'est ce que nous apprend l'histoire — et fut absent deux ans entiers. Et pendant ce temps la marchande fut engrossée par un jeune homme. L'amour, qui ne se peut cacher, mit l'un et l'autre en tel désir qu'il leur fallut coucher ensemble. Mais leur œuvre ne fut pas feinte puisqu'elle se trouva enceinte. Il arriva qu'elle eut un fils.

Quand le marchand fut de retour, il trouva chez lui l'enfançon, mais sut sagement se conduire. Il interrogea son épouse : «Ah! sire, lui dit la marchande, un jour, je m'étais appuyée, dehors, à votre haut balcon, bien dolente¹ et bien éplorée, songeant à votre longue absence dont j'avais très grand déconfort. C'était l'hiver, il neigeait fort; je levais les yeux vers

---

1. Affligée.

le ciel. C'est alors que j'eus la malchance, par mégarde, de recevoir un peu de neige dans la bouche ; mais cette neige était si douce que ce bel enfant fut conçu du flocon tombé sur mes lèvres. Tout advint comme je vous dis. » Et le prudhomme répondit : « Puissions-nous en avoir bonheur ! Désormais je ne doute plus que Dieu m'aime, et l'en remercie, puisqu'il nous a permis d'avoir le bel héritier que voici. D'héritier, nous n'en avions pas. Certainement, s'il plaît à Dieu, cet enfant sera un prudhomme. » Il n'en dit pas plus et se tait, cachant ce qu'il a sur le cœur. L'enfant, bien élevé, grandit. Mais l'homme, toujours en soupçons, songeait à s'en débarrasser.

Quand l'enfant eut quinze ans passés, le marchand qui souffrait toujours de son mal et de sa rancœur, vint un beau jour trouver sa femme : « Dame, n'ayez pas de chagrin ; je dois demain, c'est décidé, partir en voyage d'affaires. Mettez en malle mes effets ; éveillez-moi de bon matin ; préparez aussi votre fils : je veux l'emmener avec moi. Savez-vous pourquoi je l'emmène ? Je vais volontiers vous le dire : pour lui apprendre le commerce cependant qu'il est jeune encore. Personne ne peut réussir dans son métier, sachez-le bien, si, avant que les années passent, il n'y met savoir et sagesse. — Sire, j'y consens, lui dit-elle. Pourtant, si vous le vouliez bien, il ne partirait pas encore. Mais puisque c'est votre plaisir, qu'il est vain de vous contredire, que je ne puis m'y opposer, demain vous vous mettrez en route. Que Dieu, qui demeure là-haut, vous guide et ramène mon fils, et vous donne un heureux destin ! » Ainsi se clôt leur entretien.

À l'aube le marchand se lève ; il se sent le cœur tout
léger car l'affaire tourne à son gré. Mais la marchande
est désolée en voyant son fils s'en aller : départ qui
sera sans retour. Le prudhomme avec lui l'emmène.
Ils traversent la Lombardie ; après de longs jours de
voyage, ils arrivent enfin à Gênes et vont loger dans
une auberge. Que fait l'homme du jeune Agrain ? Il le
cède à un trafiquant qui va l'emmener avec lui en
Égypte pour le revendre. Et, sitôt le marché conclu,
il s'occupe d'une autre affaire, puis prend le chemin
du retour. Il traverse bien des pays et regagne enfin
son logis. Il faudrait être plus de cent pour vous
décrire la douleur qu'éprouva la dame en voyant que
son mari revenait seul. Elle se pâme maintes fois et,
quand elle a repris ses sens, en pleurant elle le supplie, pour l'amour de Dieu, de lui dire ce que son fils
est devenu. L'autre s'empresse de répondre, en
homme qui sait bien parler : « Dame, d'après ce que
l'on voit, je crois qu'il faut vivre sa vie : il ne sert à
rien de pleurer. Savez-vous ce qui s'est passé au pays
où je suis allé ? Par un beau jour au temps d'été — il
était bien midi passé — je marchais avec votre fils sur
une très haute montagne et le soleil, clair et brûlant,
dardait sur nous ses rais ardents ; mais son éclat nous
coûta cher, car il fit fondre votre fils. Je suis maintenant convaincu que ce fils était fait de neige et je ne
puis m'émerveiller qu'il ait fondu au chaud soleil. »

La marchande a dû reconnaître que son mari se
jouait d'elle en lui racontant cette histoire. La ruse
qu'elle avait ourdie [1] follement pour se disculper ne

---

1. Inventée.

lui aura servi à rien : le mari a pris sa vengeance, lui qu'elle pensait abuser vilainement par ses propos ; mais il n'est pas déshonoré, car sa femme se sent coupable. Il arriva donc à la dame — cela devait lui arriver — d'avoir brassé ce qu'elle but.

# Le Pauvre Clerc

Je ne veux pas faire un long conte. Ce fabliau dira l'histoire d'un clerc demeurant à Paris qui était en tel dénuement qu'il dut abandonner la ville. Il n'avait rien à engager, rien à vendre pour subsister et vit bien qu'il ne pouvait pas rester plus longtemps à Paris, tant il y menait pauvre vie : mieux valait laisser les études. Le clerc alors se mit en route pour revenir dans son pays comme il en avait grand désir; mais il était découragé car son escarcelle[1] était vide.

Tout un jour il avait marché sans rien boire ni rien manger. Il entre enfin dans une ville, pousse la porte d'un vilain, mais il ne trouve à la maison que la dame avec sa servante. La dame lui fait grise mine. Le clerc la prie de l'héberger, par faveur et par charité. «Seigneur clerc, mon mari, dit-elle, n'est pas chez lui en ce moment. Je pense qu'il me blâmerait si j'avais, sans sa permission, hébergé vous-même ou un autre.» Le clerc revient à sa requête : «Dame, je suis un étudiant; aujourd'hui j'ai marché longtemps. Agissez en

_____
1. Grande bourse que l'on pendait à la ceinture.

dame courtoise. Accueillez-moi sans dire plus.» Mais
avec plus d'aigreur encore elle signifie son refus. C'est
alors qu'arrive un garçon chargé de deux barils de
vin : la dame au plus tôt qu'elle peut reçoit les barils
et les cache. La servante apporte un gâteau ; elle dis-
pose sur un plat du porc qu'elle a tiré du pot. «Vraiment, dame, il me plairait bien, fait le clerc, de rester
chez vous.» Mais l'autre réplique aussitôt :«Je ne
veux pas vous héberger. Allez vous adresser ailleurs.»
Le clerc obéit et s'en va, et la dame qui s'impatiente
lui claque la porte aux talons. À peine a-t-il fait
quelques pas qu'il voit un prêtre dans la rue, nez
baissé sous sa cape noire, qui le croise sans dire
un mot et pénètre dans la maison d'où lui-même à
l'instant sortait.

Comme le clerc se lamentait, ne sachant où passer
la nuit, un prudhomme l'entend gémir et lui dit : «Qui
donc êtes-vous ? — Je suis un clerc bien fatigué ; toute
la journée j'ai marché et je ne puis trouver de gîte.
— Par Dieu et par saint Nicolas, sire clerc, ne vous
troublez pas, car votre gîte est tout trouvé. Dites-
moi, êtes-vous allé dans cette maison que voici ? —
Oui, sire, je viens d'en sortir.» Notre homme se met
à jurer : «Retournez-y sans hésiter. Foi que je dois à
saint Clément, cette maison-là m'appartient. J'y rece-
vrai qui me plaira, vous ou d'autres, à ma volonté. Je
viens d'arriver du moulin et j'apporte de la farine pour
faire à mes enfants du pain.» Ils s'en vont la main dans
la main et les voici devant la porte. Son sac sur le dos,
le prudhomme appelle et crie d'une voix forte.
«Hélas ! fait la dame, c'est lui. Ah ! messire prêtre, de
grâce, vite cachez-vous dans la crèche ! Vous y serez

en sûreté car lui, je le ferai coucher le plus tôt que je le pourrai. » Alors, sans demander son reste, il s'en va dans la bergerie.

Le mari a tant appelé qu'elle vient lui ouvrir la porte ; il entre avec son compagnon. « Sire clerc, mettez-vous à l'aise, dit le prudhomme, et maintenant soyez heureux et sans soucis : j'en aurai, moi, beaucoup de joie. » Et s'adressant à son épouse : « Dame, dit-il, que faites-vous ? Ne songez-vous pas au souper ? — Sire, veuillez me pardonner ; je n'ai rien à vous préparer. » Le mari se prend à jurer : « Par tous les saints, dites-vous vrai ? — Certes, vous pouvez bien savoir ce qu'ici, allant au moulin, vous avez laissé ce matin. — Dame, fait-il, je n'en sais rien, que le Seigneur Dieu me bénisse ! Mais je dois bien traiter ce clerc. — Sire, il faudra vous en tirer du mieux qu'il vous sera possible ; un souper n'est pas grande affaire : vous ferez vite. » À sa servante : « Tu vas passer de la farine ; pétris un pain pour leur repas et puis qu'ils aillent se coucher. » Le bonhomme était en colère. Il s'adresse à son compagnon : « Seigneur clerc, que Dieu me bénisse ! vous avez ouï bien des choses. Chantez-moi donc une chanson ou narrez-moi une aventure que vous avez lue quelque part, en attendant que l'on nous cuise ce qui fera notre repas. — Sire, fait le clerc, je ne sais comment vous conter une histoire ; mais je vous dirai volontiers une peur que je viens d'avoir. — Eh bien ! dites-nous cette peur, répond l'autre, et vous serez quitte, car je sais bien que votre état n'est pas d'être conteur de fables ; par faveur, je vous le demande. »

« Sire, fait le clerc, aujourd'hui je traversais une

forêt et quand j'en fus sorti je vis un énorme trou-
peau de porcs, grands et petits et noirs et saurs, mais
le berger n'était pas là. Tandis que je les regardais,
survint un grand loup qui bien vite se précipita sur un
porc dont la chair semblait aussi grasse que la viande
que la servante tout à l'heure a tirée du pot. » La
femme était au désespoir. « Comment, dame, fait le
mari, est-ce vrai ce que dit le clerc ? » Elle savait que
démentir ne lui vaudrait pas une maille. « Mais oui,
sire, certainement, j'avais acheté de la viande. —
Dame, vous me voyez ravi que nous ayons ce qu'il
nous faut. Mais vous, sire clerc, continuez et nous ne
nous ennuierons pas. » Le clerc poursuit donc son
récit : « Sire, dit-il, lorsque je vis que le loup avait pris
le porc, j'en fus, croyez-le, très fâché. Un loup n'est
pas lent à manger : aussitôt il le mit en pièces. Je le
regardai un moment et je vis dégoutter le sang aussi
vermeil que le vin rouge qu'apporta ici un garçon
lorsque je demandais un gîte. » La femme est muette
de colère. « Comment, dame, avons-nous du vin ? —
Mais oui, sire, par saint Martin, et nous en avons tant
et plus. — Dame, fait-il, que Dieu me voie ! j'en suis,
croyez-le, bien heureux pour ce clerc que nous
hébergeons. Seigneur clerc, dites-nous la suite. —
Certes, fait le clerc, volontiers. Le loup était très
menaçant et ne sachant quel parti prendre, je regardai si je pourrais trouver chose pour le frapper. J'avi-
sai une grande pierre : je ne mentirai pas, je crois, en
disant qu'elle était moins large que le gâteau qui est
ici et qu'a fait cuire la servante. » La dame doit bien
constater qu'il est vain de dissimuler. Alors son mari
la regarde : « Comment ? Nous avons un gâteau ? —

Mais oui, un gâteau bon et beau, dit la dame, fait tout aux œufs pour agrémenter le repas. — Dieu merci, répond le mari. Ma foi, seigneur clerc, cette peur a été une heureuse chose. Vous pourrez faire bonne chère, car nous avons pain, viande et vin et c'est à vous que je le dois. C'en est donc fait de votre peur. — Pas du tout, que Dieu me bénisse ! Lorsque j'eus pris la pierre en main, je voulus la jeter au loup. Il se mit à me regarder vraiment de la même façon que fait le prêtre à la fenêtre de la bergerie que voilà. — Un prêtre ! s'écrie le mari ; il y a un prêtre céans [1] ! » Vite il bondit pour le saisir. Le prêtre en vain veut se défendre. Le prudhomme l'a empoigné ; il le dépouille de sa robe ; il donne la chape et la cotte au clerc qui raconta sa peur : il lui paya bien son salaire et le prêtre en fut pour sa honte.

Ne refusez jamais du pain — dit un proverbe de vilain — même à celui que vous croyez ne jamais retrouver un jour. Sait-on ce qui peut advenir ? Bien des gens l'oublient et le paient, et la dame en tout premier lieu qui fit au clerc mauvais visage quand il lui demandait un gîte. De ce qu'il raconta le soir, il n'aurait pas sonné un mot si elle l'avait accueilli.

---

1. Ici.

# La Bourse pleine de sens

### par JEHAN LE GALOIS D'AUBEPIERRE

Jehan le Galois nous raconte que dans le comté de Nevers demeurait un riche bourgeois. Ce bourgeois était un marchand, toujours très chanceux dans les foires. Il était sage et bien appris ; il avait femme de haut prix, la plus belle que l'on connût au pays et qu'on pût trouver, aussi loin qu'on allât chercher. La dame aimait fort son mari, comme il l'aimait ; mais il advint que le bourgeois prit une amie qu'il chérit et combla de robes. Elle le servait de mensonges et s'entendait à le tromper. La dame un jour s'en aperçut, le voyant aller et venir ; elle ne put se retenir d'en dire un mot à son mari : « Sire, c'est à grand déshonneur que vous vivez auprès de moi. N'avez-vous pas honte ? — De quoi ? — De quoi, sire ? Prenez-y garde. Vous entretenez une garce qui vous honnit et vous assote[1]. Il n'est personne qui n'en parle et toute la ville le sait, et chacun dit que Dieu vous hait, Dieu, et

---

1. Vous rend sot.

sa mère, et tous les saints. — Taisez-vous, car ce n'est pas vrai. Les gens sont enclins à médire. »

Il s'en va, blême de colère ; il se promène par la ville la mieux située que je connaisse : c'est Decize, qui est bâtie juste en une île de la Loire. Notre bourgeois devait aller à la foire à Troyes en Bourgogne. La dame, craignant ses écarts, le fait revenir au logis, lui parle de l'un et de l'autre, et le sermonne de son mieux. Mais il n'a cure de leçons : peu lui chaut[1], il n'y pense guère. Elle voit que ses remontrances resteront toujours sans effet : elle feint d'être indifférente. On arriva au lendemain ; le bourgeois se leva matin. Quand son palefroi fut sellé, il fit atteler ses charrettes, toutes chargées de marchandises. Dès qu'il les eut fait mettre en route, il revint parler à sa femme : « Dites-moi, fait-il, belle dame, quel joyau pour votre plaisir voulez-vous que je vous rapporte de la bonne foire de Troyes ? Voulez-vous guimpes[2] ou ceintures, tissus d'or, bagues ou fermaux[3] ? Quoi que je puisse vous trouver, pour vous je ne serai pas chiche. — Sire, je ne demande rien, dit sa femme qui le croit fou, sauf, par saint Pierre et par saint Paul, une bourse pleine de sens ; mais apportez-m'en, s'il vous plaît, une pleine bourse à deniers. — Volontiers, fait sire Renier, vous l'aurez quel qu'en soit le prix. » C'était donc pour la foire d'août que sire Renier de Decize quitta son épouse Félise et fit le voyage de

---

1. Peu lui importe.
2. Morceau de tissu qui couvre la tête.
3. Agrafes précieuses dont on se sert pour fermer les pans d'un vêtement.

Troyes. Il trouva des marchands de Broyes pour
acheter son chargement. Après la vente, il s'employa,
aussitôt, sans perdre de temps, à recharger tous ses
chariots. Il ne les remplit pas d'étoupe[1], mais de
hanaps d'or et d'argent, de coupes, de pièces de drap
— et ce n'était pas camelote, mais écarlate teinte en
rouge et bon drap bleu en bonne laine de Bruges et
de Saint Omer. Nul n'aurait pu faire le compte de ce
qu'il mit en dix charrettes ; c'eût été dam qu'elles se
brisent : elles portaient une fortune. Chacune avait
son conducteur. Il les confie à Dieu le Roi ; les charretiers prennent congé et acheminent leur charroi,
suivant tout droit la grand-route.

Oyez comment sire Renier était dépourvu de bon
sens. Aurait-il bu du vin de Chypre, il n'eût pas mieux
perdu la tête. Il s'en vint en la halle d'Ypres, tenant
un bâtonnet en main et il songea à son amie. Il achète
une robe bleue et il la plie dans un paquet qu'il attache
derrière lui sur son cheval à robe rouge. Quand il l'of-
frira à sa mie, il sera seul à le savoir. Il s'en va par la
grand-rue ; il arrive enfin chez son hôte, met pied à
terre, ôte sa cape et il confie son palefroi aux soins
de son valet Jofroi. Alors il songe à la prière de sa
femme qui veut avoir une bourse pleine de sens ; mais
il ne sait de quel côté il pourra se la procurer. Arrive
son hôte Alexandre : « Sire, savez-vous où l'on vend
une bourse pleine de sens ? Dites-le-moi, si c'est possible. » Alors son hôte lui indique un mercier de terre
lointaine. « Je crois, lui dit-il, qu'il en a. » Sire Renier

---

1. Tissu de mauvaise qualité.

va le trouver, conte son affaire au mercier. L'autre lui
répond aussitôt qu'il n'en a pas, mais il l'envoie à un
épicier de Savoie qui était chenu de vieillesse. Sire
Renier s'adresse à lui et lui fait savoir ce qu'il cherche.
L'autre jure, sur son salut, que jamais, au cours de sa
vie, il ne connut cette denrée. Renier s'en va, triste
et pensif, et mécontent il s'est assis contre un tronc
d'arbre, sur un banc. À quoi bon chercher plus longtemps ? Il voit venir sur la grand-route un très vieux
marchand de Galice : « Que voulez-vous ? de la
réglisse, ou clous de girofle ou cannelle ? Que venez-
vous de demander à cet épicier savoyard ? — Sire,
dit-il, que Dieu me voie ! je ne voulais pas de réglisse,
de clous de girofle, d'épices. Je cherche, et suis
embarrassé, une bourse pleine de sens. Savez-vous où
cela se vend ? — Mais oui, je te ferai comprendre, si
tu veux, comment tu l'auras. Tu n'iras pas chercher
plus loin. Dis-moi si tu as une femme. — Oui, et fille
de chevalier, la plus belle qui soit au monde et c'est
pour elle que je cherche cette bourse pleine de sens.
Voilà : je vous ai dit mon cas en tout honneur et
loyauté. — Tu as une amie ? Ton épouse en a sans
doute de la peine et je t'en vois les yeux mouillés. Tu
as une amie ? — C'est vrai, sire. » Le vieillard se met
à sourire de la sottise qu'il entend. « Dis-moi, fait-il,
et ne mens pas. N'apportes-tu rien à ta mie ? — Si,
je ne vous mentirai pas : une robe en bon drap bleu
d'Ypres : devrait-on aller jusqu'à Chypre, on n'en verrait pas de plus belle. »

Le prudhomme, plein d'indulgence, lui dit : « Il faudra que tu fasses autre chose que tu ne penses. Si tu
veux garder ton honneur, tu devras suivre mes

conseils. Il faut que tu partes d'ici, que tu rejoignes tes charrettes. Arrivé près de ton logis, tu laisseras robe et cheval dans un lieu pourvu en fourrage. Prends une robe de truand qui soit en lambeaux et en loques et qu'au travers passent tes coudes. À la nuit va chez ton amie ; dis-lui qu'il ne te reste plus un seul denier de ton avoir, que ce soir tu as tout perdu et que tu veux loger chez elle pour t'en aller le lendemain avant le jour, qu'on ne te voie. Si elle t'accueille avec joie, elle aura mérité sa robe. Mais surtout ne t'attarde pas si elle est orgueilleuse et fière comme il convient à une garce. Si elle t'interdit sa porte, alors tu pourras reconnaître que tu auras mal employé ton temps, ta peine et tout l'argent jusqu'alors dépensé pour elle. Prends le chemin de ta maison ; entre et quand tu verras ta femme, avoue-lui ta déconvenue sans témoigner la moindre joie ; et tu la trouveras, je pense, plus courtoise et plus accueillante que ne l'a été ta ribaude. Quoi qu'elle dise, c'est ta femme. Garde ton corps, pense à ton âme comme je te l'ai conseillé. Va, je te recommande à Dieu. »

Renier monte en selle ; il lui tarde d'être à Decize sur la Loire. Il veut, en usant de ce tour, mettre à l'épreuve son amie, la payer selon son travail. Le voilà chevauchant à l'amble à grande allure vers Decize et il rejoint ses charretiers. « Seigneurs, leur dit-il, je voudrais que vous gardiez mon palefroi, ma robe et mon valet Jofroi, car il me faut mener à bien une chose que j'ai à faire. » Alors il tire de son sac une méchante souquenille [1] qui ne valait pas six deniers et

---

1. Longue blouse de travail.

qu'il met ; ainsi affublé, le bourgeois arrive à Decize.
Il entre de nuit dans la ville, va au logis de sa maîtresse qui, venant de se mettre au lit, n'était pas
encore endormie. Il est à la porte, il l'appelle : elle se
lève pour ouvrir. Il entre, elle écarte les cendres,
allume le feu et le voit. Elle lui demande pourquoi il
est ainsi dépenaillé. « Belle sœur, dit-il, écoutez. J'ai
perdu tout ce que j'avais et dès demain avant le jour,
pour que personne ne me voie, je fuirai en terre
étrangère. — Allez ailleurs chercher un gîte, car ici
vous n'avez que faire. — Eh quoi ! ma belle et douce
sœur, vous m'aimiez tant et m'appeliez votre ami et
votre seigneur. Ne soyez pas pour moi si dure. —
C'est bien dommage, mon beau sire ; de vos histoires
je n'ai cure. » À ces mots, le bourgeois la quitte ; il
s'en va chez lui, il appelle. Sa femme est ravie de l'entendre et vite, en dame honnête et sage, elle court
lui ouvrir la porte sans qu'il la hèle plus longtemps.
Elle fait monter son seigneur qu'elle aime mieux que
tout au monde. Lui feint d'être bouleversé : « Dame,
lui dit-il, j'ai perdu ce que je menais à la foire comme
si tout eût chu en Loire. Que feront ceux à qui je
dois ? Jamais ils ne seront payés, jamais je ne pourrai
le faire. » La dame le voit s'affoler ; elle l'entend se
lamenter. « Sire, dit-elle, ayez confiance. Y aurait-il dix
mille livres que vous pourriez vous acquitter. Ayez
bon espoir, bon courage et vendez tout mon héritage, vignes, maisons et prés et terres, ma garde-robe,
mes bijoux ; je vous l'accorde de grand cœur. Ce
vêtement que je vous vois n'est pas beau, il faut l'en-
lever. Prenez donc ici à la perche cette robe de menu
vair que vous n'avez jamais portée depuis la fin de cet

hiver. Mettez-la et consolez-vous, car, Dieu merci, vous possédez plus que la moitié de la ville. À Montpellier ni à Saint-Gilles, il n'est pas plus riche que vous. Trêve au chagrin, consolez-vous. » Et, l'ayant vêtu comme un roi, elle lui prépare un repas. Quand ils ont mangé à loisir, ils vont se coucher pour dormir jusqu'à l'aube du lendemain à l'heure où la ville s'éveille.

Le bruit avait déjà couru — la garce l'avait répandu — que Renier était arrivé, mal vêtu comme un vagabond, à pied, sans écu et sans lance ; et ceux qui l'avaient cautionné, craignant de perdre leur argent, se lèvent et viennent le voir. Il les fait asseoir près de lui et il leur avoue sa détresse : « Seigneurs, c'est la vérité vraie ; j'ai perdu tout ce que j'avais. Je m'en arrangerais encore si ce n'était le bien d'autrui et il y en avait beaucoup : c'est pourquoi je suis désolé. Vous tous qui m'avez fait confiance, ne m'accablez pas s'il vous plaît. » Chacun se garde de répondre, mais l'un de l'autre prend conseil, chuchotant de bouche à oreille. « Nous sommes en triste posture ; cet homme s'est moqué de nous ; par lui nous serons mal lotis ; il est né pour notre malheur. » Tandis qu'ils sont en tel souci, ils ont vu arriver Jofroi, menant le palefroi à droite et son roncin de la main gauche ; il est suivi des charretiers. Simon, Aliaume et Gautier, le voyant, se disent entre eux : « Ces chevaux-là, à qui sont-ils ? À qui sont-elles ces charrettes qui se succèdent sur le pont ? — Je ne sais pas, répond Guillaume. — Ni moi non plus, dit Aliaume. » Voyant approcher le convoi, Renier dit : « Vous vous demandez à qui appartient ce charroi. Eh bien, par Dieu qui fit le monde, ces charrettes, ce sont les miennes, à moi aussi leur chargement. Dieu merci, je puis vous payer ; il ne faut pas vous inquiéter. Je vous dirai la vérité. J'étais à la foire de Troyes ; lorsque j'eus réglé mes affaires et sur le point de repartir, je songeai alors à Mabile, une garce de cette ville que j'ai jusqu'ici fréquentée, mais il en ira autrement. Écoutez ce qui se passa. Lorsque je pensai à Mabile, je m'en vins à la halle d'Ypres et j'achetai pour la ribaude une robe d'étoffe bleue, comme on n'en verrait pas à Chypre. Puis je voulus me procurer une bourse pleine de sens : je l'ai trouvée, je l'ai encore. Cela fait, je me mis en route ; j'allai rejoindre mes charrettes et je laissai mon palefroi, ma robe et mon valet Jofroi. Puis je mis une pauvre cotte où les accrocs ne manquaient pas, méditant une belle ruse. J'arrivai la nuit dans la ville et j'allai tout droit chez Mabile. J'entrai, en feignant d'avoir froid. Me voyant sale et mal vêtu, apprenant que j'étais ruiné, la fille me mit à la porte. Je sortis, et je vins ici. Je fus bien reçu, Dieu merci. Mais la robe que j'apportais à la garce, je l'ai encore : la dame de céans l'aura ; elle m'en saura meilleur gré. » À ces mots, la dame est en joie : « Sire, fait-elle, eh bien, eh bien, vous avez donc trouvé le sens que je vous avais demandé. Dieu soit loué, vous l'avez enfin. » Et le bourgeois fit grande fête.

Vous qui êtes de bonne souche, mais qui avez le cœur frivole, veuillez écouter mes conseils. Que chacun de vous prenne garde : c'est folie de croire une garce. Si vous aviez autant de bien que le roi de France, vraiment, et que vous ayez tout laissé entre les mains d'une ribaude, seriez-vous un beau jour déchu qu'elle vous prendrait pour un chien. Vous pouvez apprendre et ouïr qu'on ne saurait tirer plaisir de garces sans foi ni amour. Fol est celui qui s'y attache et qui leur donne de son bien.

Autre leçon du fabliau. Jehan le Galois d'Aubepierre dit que, comme feuille de lierre se tient fraîche, nouvelle et verte, le cœur de la femme toujours est ouvert pour tromper les hommes. Il est insensé, croyez-le, celui qui a femme fidèle quand il va ailleurs se souiller avec des garces enjôleuses qui plus que chattes sont avides, qui n'ont ni franchise ni foi, ni lien, ni loyauté, ni loi. Ayant fait leur profit d'un homme, elles voudraient le voir au feu plutôt que de l'avoir près d'elles. Ainsi bien des malheurs arrivent.

# La Couverture partagée
## (La Housse partie)

*par* BERNIER

Aujourd'hui je vais raconter une aventure qui fut celle d'un riche bourgeois d'Abbeville, il y a dix-sept ou vingt ans. Il lui fallut quitter sa ville avec son épouse et son fils. S'il abandonna son pays, c'est parce qu'il était en guerre avec gens plus puissants que lui et ne pouvait vivre sans crainte au milieu de ses ennemis. Il vint d'Abbeville à Paris; il y coula des jours paisibles, alla faire au roi son hommage et fut son homme et son bourgeois. Il était sage et très affable et sa femme était d'humeur gaie; quant au fils il n'était ni sot, ni discourtois, ni malappris. Le prudhomme se fit priser dans la rue où il habitait; ses voisins aimaient à le voir et le traitaient avec respect. C'est ainsi, sans se mettre en frais, qu'on gagne l'estime d'autrui : dispensez de bonnes paroles et vous voilà comblé d'éloges; celui qui dit du bien des autres entend parler de lui en bien; celui qui dit et fait du mal devra s'attendre à la pareille. On en voit chaque jour la preuve et l'on dit souvent : c'est à l'œuvre qu'on peut connaître l'artisan.

Ainsi le prudhomme passa plus de sept années à

Paris ; il achetait et revendait les denrées de sa compétence, exerçant si bien son commerce qu'il sut toujours guider sa barque et qu'il conserva son avoir. C'était un sage commerçant et qui menait très belle vie. Un jour, Dieu voulut qu'il perdît sa compagne de trente années ; ils n'avaient eu d'autres enfants que le garçon dont j'ai parlé. Le jeune homme ne cachait pas à son père son désespoir ; il regrettait souvent sa mère qui l'avait tendrement nourri. Il se pâme tant il la pleure et son père le réconforte : « Beau fils, fait-il, ta mère est morte. Prions Dieu qu'il sauve son âme. Essuie tes yeux et ton visage ; pleurer ne t'est d'aucun secours. Nous mourrons tous, tu le sais bien. Nous devrons tous passer par là : on n'échappe pas à la mort. Beau fils, tu peux te consoler ; tu deviens un beau bachelier et tu es d'âge à te marier. Quant à moi, me voilà bien vieux. Si je te trouvais un parti dans une puissante famille, je t'aiderais de mon avoir ; car tous tes amis sont trop loin pour t'être de quelque assistance, et pour te concilier les autres, tu devras t'imposer à eux. Si je trouvais femme bien née, de bon lieu, de bonne famille, qui ait parents, oncles et tantes et frères et cousins germains, si j'y voyais ton avantage, tu pourrais compter sur ma bourse. »

Or, seigneurs, comme je l'ai lu, il y avait dans le pays trois chevaliers qui étaient frères. Ils étaient de père et de mère très hautement apparentés, et renommés pour leurs prouesses. Mais ils n'avaient pas d'héritage, domaines, terres ou forêts, qu'il ne leur fallût mettre en gage pour aller courir les tournois. Ainsi avaient-ils emprunté aux usuriers trois mille livres, ce qui leur causait maints soucis. L'aîné, veuf, avait une fille possédant, venue de sa mère, une belle et bonne maison, vis-à-vis l'hôtel du prudhomme. Le père ne put l'engager; elle rapportait, de loyer, vingt livres parisis par an, cela sans qu'on eût d'autre peine que d'en toucher le revenu. Le prudhomme vint demander la main de cette demoiselle à son père et à ses amis; les chevaliers de s'enquérir de ce qu'il pouvait posséder, tant en biens meubles qu'en argent. Il répondit bien volontiers : «En deniers et en marchandises, j'ai environ quinze cents livres, à cent livres parisis près. Je serais menteur en disant que j'en possède davantage. Ce fut honnêtement gagné; mon fils en aura la moitié. — Nous ne pouvons pas accepter, beau sire, font les chevaliers. Si vous deveniez templier, ou moine blanc ou moine noir[1], vous laisseriez tout votre avoir ou au Temple ou à l'abbaye. Impossible d'être d'accord; non, seigneur, non sire, ma foi. — Et pourquoi donc, dites-le-moi? — Il faut donner à votre fils la totalité de vos biens : qu'il soit maître absolu de tout et que tout vienne dans ses mains afin que ni vous ni personne ne puissiez rien lui réclamer. Si vous voulez bien l'octroyer, le mariage sera fait. Autrement nous nous refusons à lui donner la demoiselle.» Le père un instant réfléchit; il jeta les yeux sur son fils et puis il réfléchit encore; mais ce fut temps mal employé. Enfin, il répond et leur dit : «Vos désirs seront satisfaits, et ce sera par cet accord : si le mariage se fait, mon fils aura tout ce que j'ai, et, je le

---

1. Les moines blancs sont les moines de l'abbaye de Cîteaux. Ils portent des vêtements clairs. Les moines noirs sont les moines bénédictins. Ils sont vêtus de noir.

dis devant témoins, j'entends qu'il ne me reste rien ; je me dessaisis de mes biens et lui laisse tout mon avoir. » Ainsi le père se dépouille devant témoins de ce qu'il a. Aussi nu qu'un rameau pelé, il ne pourra plus disposer d'un denier vaillant si son fils ne consent à le lui bailler. Sitôt qu'il eut ainsi parlé, le chevalier, sans hésiter, saisit sa fille par la main pour la donner au bachelier, qui épousa la demoiselle.

Pendant deux ans, mari et femme vécurent en paix bellement. Enfin la dame eut un enfant qui fut l'objet de tous ses soins ; elle-même fut bien choyée : elle prit maintes fois des bains ; on célébra ses relevailles [1]. Depuis douze ans déjà passés, le père vivait chez son fils. C'est la mort qu'il s'était donnée quand pour vivre à charge d'autrui il abandonna son avoir. Le petit-fils, qui grandissait, se rendait bien compte de tout ; il avait souvent entendu rappeler ce que son grand-père avait fait pour faciliter le mariage de ses parents et ne l'avait pas oublié. Le prudhomme devenu vieux et décrépit par les années marchait en s'aidant d'un bâton. Impatient de le voir mourir, le fils n'eût pas demandé mieux que d'aller quérir son linceul [2]. La bru, qui était orgueilleuse, n'avait pour lui que du mépris et le voyait à contrecœur. Elle ne put se contenir et dit un jour à son mari : « Je vous en supplie, par amour, donnez congé à votre père. Jamais, par l'âme de ma mère, je ne prendrai de nourriture tant que je le saurai céans. Veuillez donc le mettre à la porte. — Dame, dit-il, ainsi ferai-je. » Le fils, tremblant devant sa

---

1. Fait de se relever après un accouchement.
2. Toile dans laquelle on enterre les morts.

femme, aussitôt va trouver son père et sans préambule lui dit : «Père, père, il vous faut partir, car on
n'a que faire de vous. Cherchez donc votre vie
ailleurs. On vous a donné à manger dans ma maison
douze ans et plus. Allez, levez-vous, faites vite; il le
faut, et dès maintenant.» Le père pleure amèrement
et il maudit le jour et l'heure où il est venu en ce
monde. «Ah! beau doux fils, que dis-tu là? C'est pour
l'honneur que tu me portes que tu me condamnes ta
porte? Je tiendrai peu de place ici. Je ne demande pas
de feu, ni courtepointe ni tapis; mais dehors, sous cet
appentis, fais-moi bailler un peu de paille. Si je mange
un peu de ton pain, ne me chasse pas de chez toi. Peu
me chaut d'être dans la cour pourvu qu'on me donne
à manger. Pour le temps qui me reste à vivre, tu ne
dois pas m'abandonner. Tu peux, en me faisant du
bien, plus sûrement expier tes fautes que si tu por-
tais une haire[1]. — Cher père, répond le jeune
homme, ces paroles sont inutiles. Faites vite et allez-
vous-en, car ma femme en perdrait la tête. — Mon
beau fils, où veux-tu que j'aille? Je n'ai plus vaillant
une maille. — Allez-vous-en donc par la ville et vous
en verrez plus de mille qui peuvent y trouver leur vie;
ce serait là grande misère si vous n'y trouviez pas la
vôtre; à chacun de courir sa chance! Des gens qui
vous reconnaîtront vous prêteront bien leur maison.
— Leur maison? fils, que leur importe quand tu me
chasses de chez toi? Puisque tu ne veux pas m'aider,
ces gens qui ne me seront rien le feront-ils tous à

---

1. Vêtement que portent les religieux.

l'envi ? — Père, dit-il, je n'en peux mais ; et si j'en prends sur moi le faix, sais-tu si c'est de mon plein gré ? » Le père éprouve un tel chagrin qu'il pense avoir le cœur brisé. Tout faible qu'il est, il se lève et va vers la porte en pleurant. « Fils, je te recommande à Dieu. Puisque tu veux que je m'en aille, au nom du ciel accorde-moi quelque lambeau de serpillière ; ce n'est pas une chose chère, je ne puis supporter le froid. Je le demande pour couvrir ma robe qui est trop légère. » Mais le fils rechigne à donner, et dit : « Père, je n'en ai pas. Donner, il n'en est pas question et il faudrait, pour que tu l'aies, qu'on me l'arrache ou me le vole. — Beau doux fils, vois comme je tremble. Je redoute tant la froidure ! Donne-moi une couverture prise sur le dos d'un cheval, que le froid ne me fasse pas mal. » Le fils veut s'en débarrasser et voit qu'il n'y peut arriver sans lui accorder quelque chose. Il appelle alors son enfant qui bondit sitôt qu'il l'entend et s'écrie : « Que voulez-vous, sire ? — Si tu trouves l'étable ouverte, donne à mon père une couverte qu'on met sur mon cheval morel[1] ; il pourra s'en faire un manteau, une chape, une pèlerine. Tu lui choisiras la meilleure. » L'enfant, qui était avisé, lui dit : « Beau grand-père, venez. » Le vieillard suit son petit-fils, plein de colère et de chagrin. L'enfant trouve les couvertures, prend la meilleure et la plus neuve et la plus grande et la plus large ; l'ayant pliée par le milieu, il la coupe avec son couteau du mieux qu'il peut et au plus juste, en donne au vieillard la moitié. « Beau fils, dit

---

1. Cheval de couleur brune.

celui-ci, que faire puisque tu l'as coupée en deux ? Ton
père me l'avait donnée. De ta part, c'est vraiment
cruel. Ton père t'avait commandé de me la donner
tout entière. Je vais revenir le trouver. — Allez, dit-
il, où vous voudrez. De moi vous n'aurez rien de
plus. »

Le vieillard sort de l'écurie. « Fils, on se moque de
tes ordres. Que ne reprends-tu ton enfant : il semble
qu'il ne te craint guère ? Ne vois-tu pas qu'il a gardé
la moitié de la couverture ? — Maudis sois-tu, fils ! dit
le père. Donne-la-lui donc tout entière. — Je n'en
ferai rien, dit l'enfant. Que pourrais-je un jour vous
offrir ? Je vous en garde la moitié et c'est tout ce que
vous aurez. Quand je serai le maître ici, je partagerai
avec vous comme vous faites avec lui. Il vous a laissé
tout son bien, et j'entends tout avoir aussi. Vous n'aurez de moi rien de plus que ce qu'il reçoit aujour-
d'hui. Laissez-le mourir de misère et, si Dieu veut me
prêter vie, moi je vous rendrai la pareille. » Le père
l'entend et soupire ; il réfléchit, rentre en lui-même
aux propos que l'enfant lui tient : il a bien compris la
leçon. Vers son père il tourne la tête et lui dit : « Père,
revenez. C'est le démon et le péché qui m'ont, je
crois, tendu un piège ; mais je ne m'y ferai pas
prendre, car je vous fais seigneur et maître de ma
maison, à tout jamais. Si l'autre ne veut pas la paix et
ne peut pas vous supporter, ailleurs vous serez bien
servi. Vous aurez tout à votre gré, et courtepointe [1]
et oreiller, et je le dis par saint Martin, je ne boirai

---

1. Couverture de lit.

jamais de vin ni ne mangerai bons morceaux que vous n'en ayez de meilleurs ; vous serez en chambre bien close, avec beau feu de cheminée ; vous serez vêtu comme moi. Vous avez tenu vos promesses et si je suis riche aujourd'hui, c'est de votre avoir, beau doux père. »

Seigneurs, voyez dans cette histoire un bon et clair enseignement. Un enfant du cœur de son père chassa les mauvaises pensées. Ceux qui ont des fils à marier, qu'ils se mirent dans cet exemple. Lorsque vous êtes en avant, ne vous mettez pas en arrière. Ne donnez rien à vos enfants que vous ne puissiez recouvrer : ils sont, croyez-le, sans pitié ; ils en ont assez de leur père s'il ne peut plus leur être utile. C'est ici-bas grande pitié de vivre à la merci d'autrui et d'attendre qu'on vous nourrisse. Il faudra bien vous en garder. Voici l'exemple et la morale qu'ici vous a donnés Bernier ; il a fait du mieux qu'il a pu.

# Le Vilain et l'oiselet

Un homme avait un beau jardin qu'il visitait chaque matin quand à plaisir en la saison chantent oiseaux et oisillons. Un ruisseau y prenait sa source qui le conservait toujours vert. Le prudhomme un jour y entra, en ce beau lieu se reposa. Un oiseau se mit à chanter ; il ne songea qu'à l'attraper. Il tendit un lacs et le prit. L'oiselet prisonnier lui dit : «Pourquoi te donner tant de peine pour me tromper et m'engeigner [1] ? Pourquoi m'avoir tendu un piège ? Quel gain y penses-tu trouver ? — Je veux que tu chantes pour moi.» L'oiseau lui dit : «Si tu me jures de me rendre ma liberté, je chanterai tout à ton gré. Mais tant que tu me retiendras, ma bouche chanter n'entendras. — Si tu ne veux chanter pour moi, je vais donc te manger, je crois. — Manger ! dit l'oiselet, comment ? Je suis bien trop petit vraiment, et celui qui me mangera n'en tirera pas grand profit ; si je suis en rôt cuisiné, tu n'auras qu'un plat desséché ; tu ne saurais m'accommoder de façon à te régaler. Si tu me laisses

---

1. Me duper.

m'envoler, tu t'en trouveras bien payé : je te dirai
trois vérités que tu priseras, dam vassal, plus que la
viande de trois veaux. » Le prudhomme alors le lâcha
et lui rappela sa promesse. Aussitôt, l'oiseau repartit : « Ne crois jamais les yeux fermés tout ce qu'on
t'aura raconté. Garde bien ce que tu tiendras, pour
promesses ne le perds pas. Si tu as subi quelque perte,
il faut savoir te consoler. Ce sont les trois secrets,
ami, que naguère, je t'ai promis. » Puis sur un arbre il
se percha, chanta très doucement et dit : « Louange
au Dieu de majesté qui t'a par bonheur aveuglé et t'a
ôté sens et savoir. Tu viens de perdre grand avoir.
Que n'as-tu ouvert mon gésier ! Tu y trouvais une
jaconce[1] qui pèse exactement une once. » Le vilain,
l'ayant entendu, gémit, pleura en regrettant de l'avoir
laissé s'envoler. « Nigaud, dit l'oiseau, étourdi ! As-tu
déjà mis en oubli les trois secrets que je t'ai dits ? Tu
sais bien qu'on ne doit pas croire toutes les choses
qu'on entend. Comment pourrais-je en mon gésier
avoir une pierre d'une once quand je suis loin de
peser tant ? Je t'ai dit, si tu t'en souviens, qu'il ne faut
jamais s'affliger lorsqu'on éprouve quelque perte. »
Là-dessus l'oiseau s'envola à tire-d'aile vers le bois.

---

1. Pierre précieuse rouge clair.

## Le Roi et le conteur

Un roi avait un ménestrel qui l'amusait de ses
récits. Celui-ci avait, une nuit, tant conté qu'il n'en
pouvait plus et qu'il voulait aller dormir. Le roi ne le
lui permit pas, l'invitant à conter encore et à dire une
longue histoire ; puis il irait se reposer. Le ménestrel
se rendit compte qu'il ne pouvait faire autrement, et
c'est ainsi qu'il commença : « Un homme qui avait cent
sous voulut acheter des brebis ; il en acheta donc
deux cents, chacune coûtant deux deniers, puis les
poussa vers sa maison. Mais on était dans la saison où
les rivières sont en crue, où les eaux sortent de leur
lit. Ne pouvant pas trouver de pont, il se demandait
où passer. Enfin il trouva une barque qui était petite
et légère et ne pouvaient y prendre place que le bonhomme et deux brebis. Le vilain embarque deux
bêtes, puis vient s'asseoir au gouvernail et navigue
tout doucement... » Là-dessus, le conteur se tut. Son
maître lui dit de poursuivre. « Sire, la barque est bien
petite ; la rivière à franchir est large et les brebis sont
très nombreuses. Laissons donc les brebis passer et

puis nous reprendrons l'histoire.» Ainsi s'en tira le conteur.

\*

*Le roman faut* [l'histoire se termine], *voici la fin ;*
*Or vous donnez boire du vin.*

# Table des fabliaux

# Du tableau

## au texte

*Alain Jaubert*

# Du tableau au texte

*La Nef des fous*
de Jérôme Bosch

*… un frêle esquif de quelques mètres seulement…*

Douze personnages exubérants s'agitent sur une embarcation ou dans ses alentours. Une barque, donc, navigue sur une surface aquatique sombre. Rivière ou rivage marin ? Rien ne permet de trancher en faveur d'une hypothèse ou de l'autre. Sauf qu'il s'agit d'un frêle esquif de quelques mètres seulement et qu'une barque de rivière ou de canal semblerait plus plausible. Il y a un mât au sommet duquel on a accroché une grande branche touffue, presque un petit arbre. Un autre arbre est posé à une extrémité de la barque et, semble-t-il, calé par un tonnelet. À première vue, on ne voit pas si ce côté de la barque est la proue ou la poupe. Ce devrait être la proue puisque l'étrave est incurvée et se termine en pointe, alors que l'autre extrémité, plus abrupte et plus carrée, est doublée d'une pièce métallique en V destinée à recevoir, en principe, la barre du gouvernail. Mais justement il n'y a pas de gouvernail et il est difficile de trancher. Sauf si l'on pense que l'oriflamme qui flotte dans le vent de la vitesse indique la direction d'où vient l'esquif. Il n'y a pas non plus de voile.

*… Neuf passagers se partagent cet espace étroit et court…*

Neuf passagers se partagent cet espace étroit et court. De gauche à droite, plusieurs saynètes. Une femme coiffée d'un chaperon, vraisemblablement une religieuse, brandit un pichet en se penchant vers un homme couché au fond de la barque. Peut-être s'apprête-t-elle à le frapper ou bien veut-elle l'inviter à boire. L'homme tourne le visage vers elle, souriant, un peu hébété. Est-il déjà saoul ? En tout cas, il retient de sa main gauche les cordons d'une fiasque qui rafraîchit dans l'eau.

De part et d'autre d'une planche placée en travers de la barque et en équilibre sur le plat-bord, deux personnages : une autre femme en robe brune portant elle aussi une coiffe, bouche béante et jouant du luth ; un moine, tonsuré et vêtu de la bure des franciscains, qui semble chanter. Sur la planche, un gobelet d'argent, une assiette contenant quelques fruits rouges, apparemment des cerises, et trois de ces fruits dispersés sur la surface. Pendant entre eux à une ficelle accrochée au gréement, un objet brun de forme à peu près ronde et plate.

Au second plan, trois personnages ouvrent eux aussi la bouche. Le premier, un verre en équilibre sur le crâne, lève le bras vers le haut du mât. Son autre main tient peut-être la perche qu'on voit sur la gauche et qui est coiffée d'une cruche vide. Le troisième tient de la main gauche une sorte d'immense cuiller qui pourrait être aussi une rame improvisée ou un gouvernail de fortune (mais tenu à l'envers de la progression du navire !). À l'avant, près du tonneau, un homme, s'agrippant d'une main à l'arbre, se penche au-dessus du bordé et vomit dans l'eau. Au-dessus de lui, une petite branche porte un poisson sec. Plus haut, perché sur l'arbre, un maigre personnage, déguisé en fou et portant sa marotte, approche les lèvres d'une coupe.

Sous la barque, dans l'eau, deux baigneurs. Le premier nage en tenant devant lui une coupe hémisphérique. Le second, qui a pris pied et est à moitié sorti de l'eau, s'appuie sur la barque et regarde la scène qu'il a devant les yeux. Debout dans l'arbre, un homme se dresse vers le haut du mât. Armé d'un large coutelas, il s'apprête à décrocher une grosse volaille rôtie fixée au mât. Au même niveau, un bouquet d'herbes sauvages à fleurs jaunes, peut-être des genêts, et une longue oriflamme rouge frappée d'un croissant jaune. Dans l'arbuste attaché à la pointe du mât, une sorte de tête de hibou. À l'arrière-plan, une plaine verdâtre à laquelle succèdent, sur la droite, les premiers contreforts d'une montagne.

*... En revanche, sa célébrité est certaine puisqu'il a d'innombrables imitateurs...*

C'est un petit panneau de bois peint à l'huile. Sa taille modeste, 57,8 sur 32,5 centimètres, fait qu'il échappe souvent à la curiosité des visiteurs du musée du Louvre. Il n'est pas signé mais il est dû indiscutablement à l'un des peintres les plus appréciés à notre époque, Jérôme Bosch (vers 1450-1516). On ne connaît pas l'histoire antérieure de ce panneau. Il a été acquis en 1907 par Camille Benoît, conservateur au Louvre, qui en a fait don au musée en 1918. Abîmé, très restauré, assez assombri par les vernis, le tableau reste cependant bien lisible dans sa partie centrale. En près d'un siècle, il a suscité une foisonnante littérature et quelques dizaines d'interprétations partielles ou totales, sans que personne ne puisse parvenir à élucider tout à fait cette image fantasque. Elle n'est peut-être, en fin de compte, pas si mystérieuse qu'on pourrait le croire.

C'est d'abord que le peintre Jheronimus Van Acken, dit Hieronimus (ou Jérôme) Bosch, est lui-même mystérieux. Van Acken, c'est-à-dire « d'Aix ». Il s'agit d'Aix-la-Chapelle, dont on a cru que sa famille était originaire. Sans certitude. Et « Bosch » c'est « bois », Bois-le-Duc, une petite ville du Brabant dépendant du diocèse de Liège et qui, au début du XVIᵉ siècle, comptait trente églises et chapelles pour seulement 24 000 âmes. Des images de l'époque la montrent cernée de remparts. S'y profilent à égalité les ailes des moulins et les clochers. C'est une ville commerçante riche dont les drapiers et les couteliers se partagent les grandes foires fort réputées dans l'ensemble des Pays-Bas. Les couteaux de toutes formes prolifèrent dans les tableaux de Bosch. Jérôme est né dans une famille de peintres, vraisemblablement vers 1450. Il commence à être cité lui-même en tant que peintre vers 1480. Comme tous ses collègues, il travaille sans doute aux chantiers les plus divers : décorations de rues, bannières pour les processions, cartons de vitraux, dorures de statues ou d'écussons, panneaux d'autels. On connaît par les archives quelques autres éléments de sa vie : on sait qu'il meurt en 1516 au cours d'une épidémie de peste.

À une époque, il paye des taxes parmi les plus élevées de la ville : donc il est riche. Il a des propriétés, il touche des fermages, des rentes. La seule commande écrite de tableau qu'on possède est celle d'un *Jugement dernier* acheté par Philippe le Beau (mais on ignore à quel tableau précis correspond ce contrat). En revanche, sa célébrité est certaine puisqu'il a d'innombrables imitateurs, pour certains peut-être des élèves, et des plagiaires qui n'hésitent pas à signer « Bosch » leurs tableaux. Et surtout beaucoup d'amateurs royaux : les Bosch du musée du Prado ont été rapportés des Pays-Bas par Philippe II d'Espagne lui-même. Le *Saint Antoine* de Lisbonne appartenait, lui aussi, à la collection royale. Les Bosch du palais des Doges de Venise viennent du cardinal Grimani.

*… Un grouillement ininterrompu qui défie le recensement et où l'œil ne peut que se perdre…*

L'immense popularité de Bosch — qui s'est développée au cours de la seconde moitié du XXᵉ siècle grâce à l'édition imprimée et à l'illustration (affiches, cartes postales, détournements caricaturaux et publicitaires, décor de théâtre ou d'opéra, bande dessinée, etc.) et a fait de lui un des peintres les plus populaires de toute l'histoire de la peinture — est surtout due à quelques-unes de ses grandes compositions fantastiques comme les triptyques du *Chariot de foin*, du *Jardin des délices*, de la *Tentation de saint Antoine* ou du *Jugement dernier*. En tout, des milliers de personnages, des centaines de monstres, des hybridations incroyables entre humains, animaux, végétaux, ustensiles, armes, instruments de musique. Un grouillement ininterrompu qui défie le recensement et où l'œil ne peut que se perdre. La variété des images, des symboles, des allégories, des métamorphoses, des inventions saugrenues ou triviales, des figures poétiques ou tératologiques, a attiré une foule d'exégètes. On a voulu faire de Bosch un adepte de la tradition hermétiste, un astrologue, un alchimiste, un rose-croix, un mystique chrétien ou au contraire un hérétique, un précurseur de la Réforme, et, bien sûr, de la psychanalyse ou du surréalisme. Une thèse, qui a quelque temps séduit, en a fait un adepte d'une secte adamique, les Frères du Libre-Esprit. La seule chose dont on soit sûr, c'est que Bosch a appartenu à la confrérie de Notre-Dame, active à Bois-le-Duc, ayant pour emblème le cygne, et surtout centrée sur le culte de la Vierge. Lors de leurs banquets, les membres de la confrérie mangeaient de l'oie ou du cygne. On les surnommait «Frères du cygne».

*… le propre de son génie : rêve, cauchemar, fantasmes, images sidérantes…*

Dans ses grandes compositions, Bosch adapte les textes bibliques littéralement. Il s'inspire sans doute de la culture populaire et de la langue (proverbes, dictons, sentences, jeux de mots). Il est volontiers didactique et moralisateur. Ses personnages relèvent parfois du folklore : gestes, costumes, allusions, attitudes témoignent de traditions locales. Mais il a sans doute aussi une bonne culture littéraire, et il y a à l'époque une circulation très rapide de tous les courants artistiques du Nord et du Sud. Tout ces facteurs combinés expliquent peut-être une part de son originalité. Et il ajoute une composante personnelle qui est le propre de son génie : rêve, cauchemar, fantasmes, images sidérantes. Cette part-là, il est vrai, reste des plus mystérieuses. La puissance visionnaire de certaines des scènes de Bosch est assez inédite. Incendies, gibets, supplices, dévorations, accouplements, mises à mort, monstres, fous… Ou, au contraire, oiseaux et fruits géants, bulles irisées enserrant les amants, plantes et diamants, lacs d'émeraude, corps nus et roses entraînés dans la ronde érotique de jardins paradisiaques.

Ce n'est pas du tout le cas de la *Nef des fous*, une œuvre bien plus simple, appartenant à l'autre manière du peintre, la manière folklorique et satirique. Malgré sa simplicité, le panneau présente néanmoins quelques difficultés de lecture. Beaucoup d'observateurs n'y ont d'ailleurs pas regardé de trop près. L'un croit voir dans le fou un joueur de cornemuse. L'autre prend les cerises pour des radis rouges. Un troisième distingue un gouvernail alors que cette pièce manque manifestement. Le rôti accroché au sommet du mât a été pris pour un poulet, pour une oie, pour un cygne ou encore pour un chevreau. L'objet rond qui se balance au bout d'une ficelle et que les personnages tentent de saisir avec leur bouche a été interprété comme un pain, une « moffe » (sorte de galette flamande), une crêpe, un fruit, un fromage et même une tête de poisson ! Quant à la figure qui surgit du feuillage tout en haut, elle est, selon les auteurs, hibou, chouette, masque de carnaval ou tête de mort… Il faut dire cependant que l'espace inventé par Bosch n'est pas toujours cohérent, du moins dans l'état actuel du tableau : le feuillage de l'arbre embarqué est très touffu et sans grand relief si bien qu'on ne saisit pas si l'homme qui s'apprête à décrocher la volaille est debout dans sa ramure ou bien s'il surgit de buissons qui, par exemple, pousseraient sur la berge.

*... des petites nefs chargées de fous et de folles en costumes à bonnets et grelots...*

Après la Première Guerre mondiale, lorsqu'il a été exposé, le tableau a gagné son titre parce qu'il a été rapproché d'un livre, *Das Narrenschyff* (*La Nef des fous*), de Sebastian Brandt, un érudit strasbourgeois. La première édition parut à Bâle en 1494 (102 chapitres en alsacien !). De nombreuses rééditions et traductions furent publiées au cours des années suivantes. En 1498, une édition illustrée paraît : on y voit des petites nefs chargées de fous et de folles en costumes à bonnets et grelots. Thème du livre de Brandt : le monde est un navire chargé de fous et qui dérive vers la terre promise des déments, « Narragonia ». Il est fort possible que Bosch ait connu ce livre. Mais le thème de la nef était déjà très répandu au Moyen Âge : une barque réunit les personnes d'une même société (les ivrognes, les gloutons, les « nobles dames », les preux chevaliers, les femmes pieuses...) ou bien sert de symbole plus global encore (« le navire de l'église »). Dans son poème *Pèlerinage de vie humaine*, Deguilleville évoque la nef de la religion qui porte les bâtiments des ordres monastiques et un mât qui équivaut à la croix du Christ. L'identification à la *Nef des fous* de Brandt n'allant pas de soi, certains érudits ont rapproché le tableau d'un autre poème encore, de Jacob Van Oestvoren, datant de 1413, *De blauwe Scuut*, «La Barque bleue», elle aussi chargée de fous.

Si l'on doit tenir compte d'influences livresques chez Bosch, il faudrait aussi citer les almanachs populaires souvent illustrés de xylographies comiques ou édifiantes, le *Compost* ou *Calendrier des bergers*, très répandu alors dans toute l'Europe du Nord. Et puis, comme le rappelle Michel Foucault dans son *Histoire de la folie*, parmi tous ces vaisseaux imaginaires, un seul a vraiment existé, celui des fous, justement. Les fous étaient souvent chassés. Ils erraient de ville en ville. On les confiait à des bateliers qui les emmenaient loin. «On comprend mieux alors, écrit Foucault, la curieuse surcharge qui affecte la navigation des fous et lui donne sans doute son prestige. D'un côté, il ne faut pas réduire la part d'une efficacité pratique incontestable; confier le fou à des marins, c'est éviter à coup sûr qu'il ne rôde indéfiniment sous les murs de la ville, c'est s'assurer qu'il ira loin, c'est le rendre prisonnier de son propre départ. Mais à cela, l'eau ajoute la masse obscure de ses propres valeurs; elle emporte, mais elle fait plus, elle purifie, et puis, la navigation livre l'homme à l'incertitude du sort; là chacun est confié à son propre destin, tout embarquement est, en puissance, le dernier. C'est vers l'autre monde que part le fou sur sa folle nacelle; c'est de l'autre monde qu'il vient quand il débarque.»

*... si espoir de paradis il y a, ce pourrait être le paradis des fous...*

De nombreux auteurs ont essayé d'analyser ce petit panneau en s'attardant sur chaque détail mais sans toujours parvenir à une synthèse satisfaisante. On s'accorde en général pour dire que Bosch, dans cet esprit qui précède la Réforme, a voulu faire une satire de la corruption et du relâchement des mœurs du clergé. Le moine franciscain et les deux femmes, des nonnes ou des béguines, sont au centre de l'action. Le luth est souvent associé aux scènes de débauche. Et le maigre tonsuré à la trogne émaciée est un « goliard », un de ces moines errants toujours en quête d'aventures, un des héros patibulaires favoris de la littérature du Moyen Âge. Les cerises sont les fruits paradisiaques (dans *Le Jardin des délices*, elles seront géantes). Elles sont aussi liées à l'impudicité et à la débauche. Et, en tout cas, si espoir de paradis il y a, ce pourrait être le paradis des fous. Ni voile ni gouvernail : la barque part à la dérive, juste guidée à la proue par un fou glouton présenté avec tout son costume traditionnel. L'oriflamme est frappée d'un croissant qui n'est pas celui des Turcs comme l'ont cru certains, mais plutôt l'emblème des lunatiques et des inconstants. De même que le masque d'oiseau, vraiment très proche de dessins consacrés par Bosch aux hiboux, pourrait être l'évocation de l'hérésie ou bien un présage de mort. Le hareng sec qui pend à une branche évoque le carême alors que la volaille, au sommet du mât, est un aliment gras : y aurait-il une opposition marquée entre les deux ? L'homme qui vomit symbolise-t-il la désagrégation de l'être, une sorte d'aspect du démoniaque, comme d'autres l'ont imaginé ? Le vomissement et toutes les autres sortes d'excrétion connaissent d'innombrables variantes dans l'œuvre de Bosch. Mais ici, on ne peut que rétorquer que nous sommes en présence d'une banale beuverie. De même, le fait d'enfiler une cruche vide sur un piquet est-il vraiment un symbole sexuel comme ont voulu le lire certains adeptes de la psychanalyse appliquée aux œuvres d'art ?

*... des expressions, des dictons, des blagues, des scènes, des jeux verbaux que nous ne savons plus déchiffrer aujourd'hui...*

Selon plusieurs auteurs, tout le tableau serait codé. Bosch, catholique fervent, s'attaquerait à l'hermétisme en vogue à l'époque et dénoncerait l'alchimie à travers toutes sortes d'allusions dont le « poulet rôti », symbole de la matière du Grand Œuvre qui a subi l'épreuve du feu. Dans une étude qui a suscité quelque curiosité et pas mal de sarcasmes, un auteur écrit : « La nef vogue sur le bain de la luxure où s'ébattent des nageurs dont l'un cherche à prendre place dans le bateau désemparé. Son mât est déguisé en arbre de vie par une frondaison factice prise à un arbre coupé dont les branches sont déjà mortes. La barque, dont celui qui devait la conduire oublie son rôle pour béer comme ses compagnons après le fruit de l'alchimie (qui est peut-être ici une tête de poisson pourrie), vogue sous deux enseignes conjuguées : la luxure (oriflamme à demi-lune) et l'alchimie (le poulet rôti qu'un gros homme cherche à s'approprier). Un fou, la marotte sur l'épaule, boit le breuvage alchimique que réclame un des baigneurs, une femme veut le faire absorber à un homme qui en a la nausée, un troisième le vomit. Un plat de cerises, symbole de luxure, est préparé pour un moine et une religieuse qui réclament eux aussi leur part du poisson pourri (un autre poisson entier est pendu à une branche morte) : il stigmatise sans doute le rôle joué par les clercs et les gens d'église dans le développement de l'alchimie, en jouant du luth, signe de débauche, la religieuse rappelle qu'alchimie et luxure sont intimement liées, ce que suggère aussi le matras plongeant dans l'eau. »

On reste perplexe. Il paraît certain, en revanche, que le tableau fait allusion à des expressions, des dictons, des blagues, des scènes, des jeux verbaux que nous ne savons plus déchiffrer aujourd'hui : le verre en équilibre sur la tête de l'ivrogne, la grande cuiller qui sert de rame ou de gouvernail à l'envers, le hareng au bout de sa branche, le fou perché (il entrera en résonance avec une scène fameuse de Fellini), la femme qui lève sa cruche… De même, il n'est pas nécessaire d'effectuer des recherches très érudites pour déceler un fond folklorique dans ce tableau. Le mât fleuri d'un bouquet au sommet évoque l'arbre de mai qu'on dressait sur les places pour honorer le printemps. Un dessin conservé au Louvre montre *La Nef des fous*, mais à un stade peut-être antérieur où seul le bouquet fleuri est visible : le gros buisson du sommet pourrait être un ajout ultérieur. L'homme qui se dresse avec son couteau pour se saisir du rôti rappelle ces mâts de cocagne des grandes foires du Brabant : il fallait grimper au sommet du poteau bien graissé pour gagner l'oie ou la dinde. La galette pendue au gréement évoque sans doute un autre jeu. Et, plus sûrement encore, l'ensemble du navire chargé du fou et de ces personnages clownesques évoque ces chars qu'on faisait évoluer à travers les villes des Pays-Bas lors du carnaval.

*... il manque à la scène une partie, logiquement le bas...*

L'examen rapproché de ce panneau permet de constater qu'il a été scié. Son format bizarre prouve d'ailleurs qu'il manque à la scène une partie, logiquement le bas. On a donc proposé comme hypothèse que ce bas pouvait être un autre petit panneau attribué à Bosch, intitulé *Allégorie des plaisirs* et conservé à la Yale University, à New Haven (États-Unis). Le style ferait pencher vers la même période que *La Nef des fous*, 1490-1500. Enfin, les dimensions, 35 centimètres de haut sur 31 de large, compte tenu des rognures et des réductions liées aux restaurations, s'accordent bien avec celles de la *Nef* (32,5 cm de large). Il représente un plan d'eau où plusieurs nageurs nus poussent un tonneau sur lequel un gros homme coiffé d'un entonnoir souffle dans une trompe. Un baigneur tend une écuelle pour recueillir le vin qui gicle d'un trou percé dans la face avant du tonneau. Un autre nageur porte sur la tête un grand plat avec un pâté surmonté d'une tête de canard ou de spatule. Sur la rive, on voit les vêtements, coiffes, sabots des nageurs. Et, sous une tente, un homme et une femme coiffée d'un chaperon, indifférents au vacarme extérieur, boivent en menant une tendre conversation. Le plan d'eau est très clair mais on voit bien que la couche picturale a été maintes fois nettoyée (le dessin sous-jacent de ce petit panneau est presque partout apparent) alors que dans la *Nef* l'eau est très sombre, presque noire. Cependant sa radiographie montre, à la partie inférieure, ce qui semble être le sommet de l'entonnoir du gros homme de l'*Allégorie*.

Si l'on rassemble les deux panneaux, on obtient un seul tableau de 57 plus 35, soit 92 centimètres. Or il existe un autre panneau vertical de Bosch de 92 centimètres de haut et de 30,8 centimètres de large (mais plutôt rogné en largeur), *La Mort de l'avare* (Washington, National Gallery). On a donc émis l'hypothèse que ces divers tableaux proviendraient d'un triptyque qui, autour d'un panneau central aujourd'hui disparu, aurait eu pour volets latéraux celui de *La Mort de l'avare* et celui formé par *La Nef des fous* et l'*Allégorie des plaisirs*. Outre les ressemblances stylistiques, l'analyse des bois a confirmé qu'il s'agissait de planches provenant du même arbre. Les deux tableaux sont donc liés. Certains ont même poussé plus loin l'hypothèse : *La Mort de l'avare* et *La Nef des fous* auraient pu être aussi le recto et le verso d'un panneau qu'on aurait un jour scié en deux dans l'épaisseur !

*... toute une comédie humaine truculente évoque le monde des « vilains »...*

Thème général de l'ensemble : les sept péchés capitaux. La *Nef* et l'*Allégorie* réunies évoqueraient la

luxure et la gourmandise, *La Mort de l'avare*, l'avarice. S'il y avait un troisième panneau, il pourrait
donc rassembler les quatre péchés manquants :
colère, envie, paresse et orgueil. Cependant, on peut
constater que dans ce simple fragment de *La Nef des
fous* on trouve déjà des éléments qui sont d'ordinaire associés à plusieurs autres péchés capitaux. La
femme levant sa cruche reprend peut-être une
bagarre qui illustre l'image de la colère dans une
autre composition de Bosch, baptisée justement *Les
Sept Péchés capitaux* (Madrid, musée du Prado).
L'homme qu'elle menace, couché au fond de la
barque, pourrait être une figure de la paresse. De
même, le couple central évoque la luxure (à
laquelle, on l'a vu, sont souvent liés les cerises et le
luth). L'homme qui part à la conquête du poulet ou
de l'oie et celui qui vomit font allusion à la gourmandise. Aussi, plutôt que des scènes bien délimi-
tées, Bosch pourrait avoir dispersé dans son
ensemble de tableaux plusieurs allusions à chacun
des péchés. Les armoiries qui figurent sur la tente
de l'*Allégorie des plaisirs* sont celles des Berg, une
famille de Bois-le-Duc. Ces fragments pourraient
donc provenir d'un triptyque édifiant, commandé
par de riches bourgeois de la ville. Ce n'est qu'une
hypothèse de plus…

La saynète représentée par Bosch dans sa *Nef des
fous* n'est sans doute pas une œuvre ésotérique complexe comme semblent l'être certains de ses grands
panneaux ultérieurs. Peut-être fait-elle allusion à
des dictons, des proverbes, des coutumes que les
contemporains du peintre devaient saisir immédiatement. Mais elle relève plutôt d'un genre qui s'est
illustré avec les *Contes de Cantorbéry* de Chaucer, le

*Décaméron* de Boccace ou nos fabliaux français de Rutebeuf, Cortebarbe, Jean Bodel, Garin ou Gautier Le Leu. Gens d'Église ivrognes ou débauchés, goinfres insatiables, maris trompés, femmes légères, entremetteuses perverses, nonnes lubriques, filous rusés, jongleurs de foires, aventuriers de carnaval, toute une comédie humaine truculente évoque le monde des « vilains ». C'est un monde épique, mais à sa façon, bien moins noble que celui des chansons de geste ou des romans de chevalerie. La barque sans gouvernail et sans voile de Bosch entraîne une petite société disparate dans une joyeuse ambiance de carnaval. Qu'elle suscite en même temps toutes sortes de lectures, sages ou délirantes, n'est certes pas un défaut. Au contraire, cela ne devrait que prolonger ses effets comiques.

# Le texte

## en perspective

Aurélie Barre

# Vie littéraire

## Le contexte historique des fabliaux : une période de grandes mutations

### *1.*

## Une société en pleine évolution

### 1. *Les grands chantiers*

Les fabliaux naissent au moment où les villes se développent dans toute la France. Au Moyen Âge, la cité est entourée de murailles et fermée de grandes portes. Chaque ville est bâtie autour d'un château et, le plus souvent, d'une cathédrale. On commence à se préoccuper véritablement d'urbanisme, comme le prouvent certains plans de ville à quadrillages réguliers et les travaux d'équipements collectifs en eau courante.

Mais, pour accueillir une population en constante augmentation, on construit sans plan véritablement réfléchi et parfois même dans un franc désordre. Les riches hôtels particuliers voisinent avec des maisons plus modestes ; on construit le long des routes, des chemins, dans les arrière-cours, sur les places publiques… Il règne donc en ville une certaine effervescence et les rues sont encombrées, en particulier les jours de marché. Rappelez-vous par exemple la foule que traverse Brifaut dans le fabliau du même nom.

C'est à la même époque que les grandes cathédrales gothiques sont érigées : à la fin du XII$^e$ siècle, Chartres lance le début de ces immenses constructions ; au XIII$^e$ siècle, suivent les cathédrales de Bourges, de Rouen, de Reims ou encore de Beauvais.

## 2. *Une population importante et diverse*

Les grands centres urbains se développent surtout à partir du XIII$^e$ siècle. Pour le Moyen Âge, une ville est grande lorsqu'elle comporte au moins 5 000 habitants. Parmi les agglomérations les plus peuplées du royaume, Paris arrive en première position. On estime qu'elle comptait 80 000 habitants au début du siècle et plus de 200 000 à la fin du XIII$^e$ siècle. Elle égale alors en importance les grands centres européens, comme Milan ou Venise. Dans le nord de la France, l'essor urbain est également très soutenu : Rouen est la deuxième ville de France. Dans le sud du royaume, Montpellier et Narbonne font figures de grandes métropoles. Beaucoup de fabliaux s'y déroulent : Orléans et Amiens sont évoquées dans *La Bourgeoise d'Orléans,* et le marchand de *La Bourse pleine de sens* vient de Nevers...

La ville regorge d'une multitude de métiers, en particulier les métiers artisanaux liés au textile (des drapiers aux tisserands) ou au travail de la peau (des tanneurs aux tailleurs et aux fourreurs). Il y a les hommes qui sont établis dans l'enceinte de la cité et ceux qui courent d'une ville à l'autre à l'occasion des grandes foires. Au Moyen Âge, celles de Champagne, de Provins ou de Troyes sont les plus célèbres. La ville d'Arras accueille également de nombreux marchands. Ces grands rassemblements, dans lesquels on échange essentiellement des draps, sont évoqués dans *Brifaut*, dans *Boivin de Provins* ou encore dans *La Bourse pleine de sens*.

### 3. *L'apparition de la bourgeoisie*

Les grandes villes se développent donc au XIIIe siècle. Mais on observe parallèlement la transformation des bourgades, c'est-à-dire des bourgs le plus souvent construits à proximité, en cités à part entière. Le nom « bourgeois » désigne étymologiquement les habitants de ces bourgs qui vont s'enrichir d'une activité de commerce (ils sont marchands, par exemple dans *La Bourgeoise d'Orléans* ou dans *L'Enfant de neige*) ou de l'artisanat : ils sont bouchers, boulangers, drapiers... Une nouvelle classe sociale fait son apparition avec le développement du monde urbain : la bourgeoisie. Ces bourgeois sont libres, puisqu'ils ne dépendent pas d'un seigneur, et administrent seuls leurs biens, ce qui leur offre la possibilité de faire du profit. Les fabliaux renvoient de ces nouveaux riches une image assez péjorative : les bourgeois y sont vulgaires, avares, sots...

**Pour conclure :** les fabliaux sont le fruit de ces modifications urbaines et de l'activité qui agite les villes. Les bouleversements de la vie paysanne au XIIIe siècle ne semblent pas avoir véritablement joué dans leur apparition. D'ailleurs, seul un nombre limité de nos récits se déroule à la campagne. La cité nouvelle, débordante de vie, devient le cadre idéal d'un nou-

veau genre littéraire : le fabliau retient de la ville son
effervescence, sa rapidité, mais aussi la peur qu'elle
peut provoquer. La ville, en effet, n'est pas un lieu
sécurisant ; s'y déploient la ruse, le vol, la méchanceté, la perversité... dont on retrouve des échos dans
les fabliaux.

## 2.
## La société religieuse

### 1. *Diversité de la société religieuse*

Le monde des religieux, reconnaissables par leur
tonsure, n'est pas un univers homogène. On distingue en effet plusieurs groupes. Le premier
rassemble ceux qui se retirent du monde et qui
mènent une vie de prière : les ermites, qui vivent
seuls dans les forêts et les déserts, et les moines, le
plus souvent regroupés dans des couvents et des
monastères. Ce groupe, qu'on appelle le clergé
régulier, n'est pas représenté dans les fabliaux que
vous avez pu lire.

Le XIIIe siècle est également marqué par l'apparition de nouveaux ordres religieux qui s'installent dans les villes : le clergé séculier. Ce sont les
ordres mendiants, parmi lesquels on dénombre les
carmes, les augustins, les sachets (vêtus d'une sorte
de sac), les pie (vêtus de tuniques blanches et
noires), les mineurs, les prêcheurs ou encore les
jacobins (deux jacobins cupides viennent réclamer
une part d'héritage dans *La Vessie au prêtre*). Ces ordres sont tournés vers l'action : les religieux ne sont
plus à l'écart de la population, retirés dans des

monastères, mais au contraire au contact des gens.
Ils prêchent et confessent au bord des chemins et
dans les villes.

## 2. Qui sont les religieux présents dans les fabliaux ?

Plusieurs religieux tiennent un rôle important
dans les fabliaux. Dans *Brunain la vache au prêtre*,
pour la fête de Notre-Dame, le curé vient faire un
prône à l'église. Il affirme que Dieu rend au double
ce qu'on lui donne de bon cœur. Et le fabliau se
charge de vérifier cet adage : le paysan offre une
vache et il lui en revient deux. Dans *Le Testament de
l'âne*, Rutebeuf oppose deux figures de religieux. Le
premier est un curé riche et avare ; le second, un
évêque aimable et apprécié. La différence de statut
entre les deux religieux reflète une rivalité médiévale traditionnelle : les évêques, qui appartiennent
en majorité à la petite noblesse, méprisent les prêtres et dénoncent leurs écarts de conduite (certains
sont mariés ou vivent en concubinage alors que le
célibat des prêtres est exigé) et leur manque de
connaissances.

On rencontre également deux jeunes clercs, en
réalité des étudiants tonsurés, dans *La Bourgeoise
d'Orléans* et dans *Le Pauvre Clerc*. Le premier, récem-
ment arrivé en ville, séduit la bourgeoise d'Orléans ;
le second, réduit à la pauvreté, demande l'hospita-
lité à une femme qui la lui refuse. Le jeune homme
démuni constitue une figure positive dans ce fabliau
où apparaît un deuxième religieux, une figure plus
négative : un prêtre gourmand, amant de la jeune
femme.

### 3. *Le mari, la femme, le prêtre : une relation triangulaire*

Très souvent, dans ces récits, la présence du prêtre vient créer au sein du couple une relation en triangle qu'il s'agit de cacher ou de mettre au jour. Dans *Le Prêtre qui fut mis au lardier*, le mari soupçonneux découvre la relation adultère de sa femme et joue un tour au prêtre caché dans le lardier. Dans *Le Vilain de Bailleul*, la femme reçoit en cachette un chapelain quand arrive son mari. Cette fois, c'est la femme qui va parvenir à duper son époux en lui faisant croire qu'il est mort. Vous reconnaissez une même situation triangulaire dans *La Bourgeoise d'Orléans*, et, dans *Les Perdrix*, une pareille relation est discrètement évoquée : alors que le mari est parti affûter son couteau dans la cour, un chapelain arrive vers la femme et l'embrasse tendrement.

**Pour conclure :** les fabliaux reflètent la présence importante à cette époque des religieux au milieu des paysans (dans *Les Perdrix*) et des habitants des villes. Peu sont montrés à l'église, en revanche, beaucoup ont pénétré dans les maisons bourgeoises : profitant de l'absence des maris, ils convoitent leur femme.

### 3.

## Petites traces de réalité dans les fabliaux

L es fabliaux ne sont pas une œuvre réaliste qui donnerait, comme une photographie, un témoignage exact de la vie au Moyen Âge : ils ne sont pas le miroir de leur temps. Cela tient en particulier à la brièveté des récits. Les fabliaux ne font en effet guère plus de quelques pages et si l'on compte en vers, car ils étaient écrits en vers de huit syllabes, ils dépassent rarement trois cents vers. Le récit doit aussi être dynamique : l'action nécessite une certaine rapidité, une concision qui exclut la lenteur des descriptions.

C'est pourquoi on trouve peu de moments descriptifs dans les fabliaux : la ville — lieu où se déroulent, par exemple, *Les Trois Dames de Paris* ou *Boivin de Provins* —, comme la campagne, où l'on rencontre *Le Vilain de Bailleul*, ne sont quasiment pas décrites. À la campagne, l'agriculture est tout juste évoquée : dans *Le Vilain mire*, le paysan cultive à l'aide d'une charrue tirée par un roncin (un cheval de trait) et une jument. Aucune indication n'est donnée sur ce qu'il cultive. De même, savons-nous peu de choses sur les vêtements des personnages ou sur les meubles qui composent l'intérieur de leurs habitations : le logis partagé par les deux frères dans *Estula* n'est pas détaillé, pas plus que ne l'est la maison du sénéchal dans *Le Vilain au buffet*.

Pourtant, les fabliaux apportent quelques éléments qui permettent de retrouver l'ambiance générale de la vie au Moyen Âge. Ces informations, discrètes, consistent en quelques détails dispersés au fil du récit.

## 1. *La vie à la campagne*

Quelques fabliaux ont pour cadre le milieu rural. L'intrigue réunit alors un paysan et sa femme, ou un paysan et un riche sénéchal. *Le Vilain ânier,* quant à lui, fait le récit de la mésaventure d'un paysan égaré dans la rue des épiciers à Montpellier. La morale du fabliau insiste sur l'incongruité de la présence d'un paysan à la ville : né dans le fumier, on ne peut en sortir et pénétrer dans une ville, c'est vouloir par là même changer de nature. Au sein de ces récits qui se déroulent dans le milieu rural, on peut saisir quelques éléments de la réalité paysanne.

**L'activité paysanne :** certains fabliaux évoquent le travail des champs. Dans *Le Vilain ânier,* le paysan ramasse du fumier pour fertiliser sa terre. Cette pratique de fumure est assez répandue au Moyen Âge. Dans *Le Vilain au buffet,* le conteur dit que le paysan vient juste de quitter sa charrue et, dans *Le Vilain mire,* le paysan part labourer sa terre. Quelques fabliaux rappellent rapidement la rudesse des conditions de travail. Dans *Le Vilain mire,* le récit raconte que le paysan travaille dans ses champs du matin au soir. Et *Le Vilain de Bailleul* s'ouvre ainsi : « À Bailleul vivait un vilain qui, ni changeur ni usurier, peinait sur des terres à blé ». Le paysan de Bailleul cultive du blé. Cette indication est la seule qui nous renseigne sur les cultures produites à cette époque. Dans *Estula* — mais le fabliau se déroule à la ville —, le riche propriétaire cultive des choux.

**Un élément essentiel de l'intrigue :** les conteurs ne s'attardent donc pas sur les détails qui caractérisent le monde rural au Moyen Âge. S'ils mentionnent la lourde besogne des champs et l'absence prolongée du vilain qui quitte son logis pour aller cultiver ses terres, c'est surtout pour montrer que l'aventure arrive dans ce laps de temps : puisque le mari est absent du logis, la femme peut, en toute confiance, recevoir chez elle son amant, par exemple dans *Le Vilain de Bailleul*. Dans *Le Vilain mire*, le paysan craint que sa femme ne profite de son absence pour accueillir un damoiseau : «Quant au vilain, il s'aperçoit [...] qu'il a commis une sottise [...]. Quand il ira à la charrue, viendra rôder un damoiseau pour qui tous les jours sont fériés.» L'absence du mari est ainsi plus importante que le travail des champs car elle est à l'origine même de l'histoire.

**L'aspect extérieur du paysan :** le plus souvent, les fabliaux insistent sur la laideur des paysans et sur la pauvreté de leurs vêtements. Dans *Le Vilain au buffet*, le paysan est «un être laid, crasseux, hirsute», selon le conteur, et ses mains sont calleuses : elles sont abîmées par le travail des champs. Les premières lignes du *Vilain de Bailleul* évoquent la «taille étonnante» du personnage ainsi que son visage déplaisant : «la laide hure». L'aspect extérieur du paysan médiéval est précisément détaillé dans *Boivin de Provins* : «[...] il s'habille de bureau gris, cotte et surcot, et chape aussi ; il met des chausses de bouras [de laine] ; faits de solide cuir de vache, ses souliers n'ont pas de lacets.» Pour compléter son déguisement, Boivin s'est laissé pousser la barbe pendant plus d'un mois et tient dans sa main un aiguillon, qui permet au paysan de faire avancer ses bœufs. L'étoffe de son vêtement est rêche, la bure est un tissu grossier en laine, et de vilaine couleur puisqu'elle est grise. La description du vêtement est assez exacte. À l'époque médiévale, il était en effet composé de ces trois éléments : la cotte, une tunique qui descend jusqu'aux pieds, le surcot, c'est-à-dire un vêtement qui se porte sur la cotte, et la chape, qui est un long manteau.

**Préjugés et caricatures** : ces quelques détails rendent avec une grande justesse la réalité rurale du Moyen Âge. Mais il est indubitable aussi que régnait à cette époque un profond mépris pour la classe paysanne : le vilain inspirait un certain dégoût à une classe plus riche. L'insistance sur la laideur du visage et du vêtement traduit ce mépris et caricature la réalité.

## 2. *La vie à la ville*

La plupart des fabliaux ne se déroulent pas à la campagne, mais à la ville, lieu privilégié des fourberies, des intrigues galantes, des débordements en tout genre, à la taverne par exemple dans *Les Trois Dames de Paris*. Souvent, dans les textes littéraires, la ville est non seulement un lieu de débauche et de gain facile (Boivin se rend à la ville pour « faire » de l'argent), mais aussi d'aventures imprévisibles. À nouveau, quelques éléments très discrets viennent donner au lecteur des informations sur le cadre urbain.

**L'atmosphère de la ville** : au Moyen Âge, la cité est un endroit clos, entouré par de hautes murailles. Dès la nuit tombée, les portes de la ville se referment ; à l'intérieur, les rues sont désertes, sombres et mal fréquentées. La nuit est particulièrement noire dans les villes médiévales car il n'existait alors aucun système d'éclairage. Pour cette raison, la ville est dangereuse et il est fortement déconseillé de s'aventurer seul dehors sans torche ni arme. Un couvre-feu destiné à protéger les habitants est souvent instauré : il est mentionné dans *Les Trois Dames de Paris*.

**La nuit, moment privilégié de l'aventure :** la ville est donc très sombre. Cela permet aux auteurs de fabliaux d'imaginer diverses aventures dans lesquelles la nuit noire est nécessaire à l'action : les deux frères d'*Estula* profitent de l'obscurité profonde pour pénétrer chez un riche propriétaire et lui dérober des choux et un mouton. Dans *Le Larron qui embrassa un rayon de lune*, le voleur espère s'introduire dans une maison sans être vu. Le riche bourgeois Renier de *La Bourse pleine de sens* se présente chez son amie alors qu'il fait nuit. Pour y voir clair, celle-ci écarte les cendres et attise le feu. Enfin, dans *La Bourgeoise d'Orléans*, le mari tente de tromper sa femme à la faveur de la nuit noire, mais la bourgeoise rusée découvre la supercherie. Les auteurs de fabliaux se servent donc de la réalité de leur temps comme point de départ de l'aventure.

**Les rues :** dans toute l'Europe médiévale, les métiers sont regroupés dans différentes rues. La ville se divise fréquemment en quartiers spécialisés : il y a celui des tanneurs, des drapiers, des teinturiers, des orfèvres… Dans *Le Vilain ânier*, le paysan qui porte son fumier traverse la rue des épiciers : les senteurs des épices lui tournent la tête au point qu'il s'évanouit. Dans *Boivin de Provins*, le héros de l'aventure se rend directement dans la rue des prostituées. Ces deux fabliaux donnent une image tout à fait pertinente de l'organisation de la ville. Mais l'essentiel n'est pas de proposer un témoignage sur l'époque. Il s'agit plutôt de situer l'aventure dans un endroit connu du lecteur pour lui faire croire que cette histoire est vraie, ou qu'elle est vraisemblable : elle aurait bien pu arriver.

**La ville, un lieu de débauche :** la ville offre de nombreuses tentations. Les auberges proposent vin et nourriture à foison. À peine arrivés dans la ville, les aveugles du fabliau intitulé *Les Trois Aveugles de Compiègne* entendent crier : « Ici, bon vin frais et nouveau ! Vin d'Auxerre, vin de Soissons, et bon pain et viande et poisson. » Dans *Les Trois Dames de Paris*, les dames s'installent à la table d'une taverne et se font servir quantité de vin et de nourriture. Les plaisirs cependant ne sont pas seulement ceux de la gourmandise. À la ville, on peut goûter à un autre plaisir : celui des prostituées. Ainsi Boivin se dirige-t-il droit vers la maison de Mabile pour profiter d'un bon repas, certes, mais aussi pour prendre du bon temps avec la jeune Ysane.

**La ville, un lieu de commerce :** les villes accueillent de nombreuses foires qui durent au minimum trois semaines. Les marchands déballent d'abord leurs marchandises pendant près de huit jours, puis ont lieu les ventes. Une des foires les plus célèbres est celle de Lendit, qui se tient en juin entre la Saint-Barnabé et la Saint-Jean. L'organisation générale de ces manifestations nécessite de prendre certaines précautions, en particulier contre le vol. Dans *Brifaut*, un larron dérobe une toile au vilain qui pensait la vendre à la foire. Les marchands courent les foires et quittent ainsi fréquemment leur logis, laissant seule leur épouse. Deux de nos fabliaux, *L'Enfant de neige* et *La Bourgeoise d'Orléans,* rappellent l'absence des maris. La tentation est alors forte pour l'épouse de trouver un amant. Dans *L'Enfant de neige*, le mari, de retour de voyage, découvre que sa femme a eu un enfant pendant son absence. Dans *La Bourse pleine de sens*, le marchand profite de son périple pour mesurer la duplicité de sa maîtresse qu'il finit par abandonner.

**Pour conclure :** les informations concernant la vie au Moyen Âge sont peu nombreuses. Le plus souvent, l'évocation de tel ou tel élément vient mettre en place l'intrigue, lance le récit et l'aventure. La ruse, le vol, l'absence du logis (celle du paysan ou celle du marchand), toutes ces anecdotes sont toujours ancrées dans la réalité de l'époque. Mais tous les fabliaux vont au-delà de cette réalité, pour tirer des détails qui la construisent de véritables aventures littéraires.

### 3. À la ville comme à la campagne : la cuisine et le vin

Les scènes de repas sont si fréquentes dans les fabliaux qu'elles rendent compte des habitudes alimentaires de l'époque. Le plat le plus apprécié est sans doute l'oie grillée à l'ail. Les trois dames de Paris commandent à Drouin d'acheter chez le rôtisseur une oie bien grasse et un plat d'aulx. Le vilain de Bailleul et la paysanne des *Perdrix* se régalent de chapons, d'oies ou de perdrix grillés à la broche. Pour accompagner les chapons, les trois aveugles se font servir des pois au lard.

Au Moyen Âge, il existe plusieurs versions d'un même récit. Tel est le cas en particulier de *Boivin de Provins*. Dans le texte que vous avez lu, le repas n'est que peu décrit. Il existe toutefois une deuxième version de l'aventure de Boivin. La scène est alors développée : le conteur s'arrête plus en détail sur la préparation et la composition du repas. Mabile crie à ses gens d'aller acheter des oies et des poussins et elle ajoute : «Procurez-vous de bons vins, ramenez de gras chapons. » Puis la servante Ysane met sur la table le sel et les vins. Chacun ensuite se régale d'une grande écuelle de brouet de poussin ; puis l'on sert au vilain un chapon, une moitié d'oie, de bons pâtés, des pâtisseries. Boivin déguste des mets salés mais aussi des gourmandises sucrées. *La Bourgeoise d'Orléans*, *Le Vilain de Bailleul* et *Le Pauvre Clerc* mentionnent également des gâteaux.

«**Bon vin frais et nouveau !**» : les personnages des fabliaux apprécient, semble-t-il, le bon vin, mais surtout le vin nouveau. Au Moyen Âge, en effet, on commence à consommer le vin seulement quelques semaines après les vendanges. Un grand nombre de crus sont mentionnés dans les récits, depuis celui d'auvernois, produit en Auvergne (dans *La Bourgeoise d'Orléans*), jusqu'à celui de Chypre (dans *La Bourse pleine de sens*). Mais le Moyen Âge semble préférer le blanc au rouge : le vin de Bourgogne, d'Auxerre ou de Chablis, est déjà très réputé. Consommé dans les maisons, il accompagne les bons repas qui fêtent l'arrivée de l'amant (par exemple dans *Le Vilain de Bailleul*). À la taverne, il est bu sans modération par les trois aveugles de Compiègne. Le vin est un gage de plaisir propre à l'univers des fabliaux. Enfin, dans *Boivin de Provins*, l'alcool entre dans l'élaboration d'une ruse : les prostituées pensent enivrer le faux paysan pour le duper plus facilement.

---

**Pour en savoir plus
sur les fabliaux…**

Dominique BOUTET, *Les Fabliaux*, Paris, PUF, 1985.
Philippe MÉNARD, *Les Fabliaux, contes à rire du Moyen Âge*, Paris, PUF, 1983.

# L'écrivain
# à sa table de travail

## Les fabliaux, des contes à rire

## 1.

## Des auteurs de fabliaux

Nous connaissons aujourd'hui environ cent cinquante fabliaux. Nombre d'entre eux sont anonymes car le Moyen Âge ne connaît pas la propriété littéraire. Les auteurs ne signent que rarement leurs œuvres. Lorsque leur nom apparaît, il figure immédiatement après le titre ou bien dans le cours même du récit, au début ou à la fin de l'aventure. Dans *Le Prêtre qui mangea les mûres*, le conteur affirme : « […] je veux, sans prendre de répit, vous dire l'histoire d'un prêtre comme Garin nous la raconte. » Garin serait donc l'auteur de ce fabliau. Le même artifice figure dans les dernières lignes de *Boivin de Provins* : « Boivin resta trois jours entiers et le prévôt prit dans sa bourse dix sous qu'il donna à Boivin qui fit ce fableau à Provins. » En général, les auteurs abandonnaient leurs créations aux jongleurs qui récitaient les aventures de château en château et qui pouvaient à leur guise modifier les détails de l'histoire.

# 1. *Qui a composé les fabliaux ?*

**Jean Bodel et Rutebeuf :** à la fin du XII$^e$ siècle, Jean Bodel a signé quelques fabliaux qui sont les plus anciens que nous connaissons. Entre 1190 et 1197, il a composé *Brunain la vache au prêtre* ou encore *Le Vilain et les deux clercs*. On connaît quelques détails de la vie de Jean Bodel. Né probablement en 1165 à Arras, il meurt de la lèpre en 1209 ou en 1210. Il exerce la profession de trouvère et il était certainement protégé par les plus riches familles de la ville. Son œuvre littéraire est variée : on lui attribue neuf fabliaux, la *Chanson de Saisnes* qui raconte la lutte de Charlemagne contre Guiteclin, roi des Saxons, le *Jeu de saint Nicolas*, des pastourelles, puis, peu d'années avant sa mort, des *Congés* dans lesquels il fait ses adieux à sa ville natale ainsi qu'à ses amis.

À la fin du *Testament de l'âne*, nous découvrons un autre auteur. Celui-ci se nomme dans son propre récit : « Rutebeuf le dit et l'apprend… » Rutebeuf est connu pour plusieurs textes littéraires, il est notamment l'auteur du *Miracle de Théophile*, écrit vers 1260, et de *Renart le Bestourné*. Il a composé un autre fabliau : il s'agit de *Frère Denise*. Le court récit raconte l'histoire d'une femme se faisant passer pour un homme afin de devenir moine. De cet auteur on ne sait presque rien sinon qu'il vécut pendant le XIII$^e$ siècle (il meurt en 1285) et qu'il était probablement d'origine champenoise. Il serait venu à Paris pour parfaire ses études. On suppose également que Rutebeuf a suivi une formation de clerc, comme le montre sa connaissance de la langue latine et des Écritures saintes.

**D'autres auteurs de fabliaux :** certains ne semblent

avoir composé que des fabliaux. Tel est le cas, par exemple, de Boivin de Provins, de Garin (qui écrit *Le Prêtre qui mangea les mûres*) ou encore de Watriquet de Couvin, qui compose *Les Trois Dames de Paris* dont vous lirez un extrait dans le « Groupement thématique » (p. 179). Watriquet est l'un des derniers auteurs de fabliaux avec Jean de Condé. Tous deux écrivent entre 1330 et 1340. On possède quelques menus détails sur la vie de Watriquet : on sait en particulier qu'il était originaire de Couvin, une localité proche de Namur, et qu'il a composé un autre fabliau : *Des trois chanoinesses de Cologne*.

## 2. *Des jongleurs écrivains*

Beaucoup de jongleurs sont à l'origine des fabliaux. Cortebarbe, qui écrit *Les Trois Aveugles de Compiègne*, se définit au début de l'aventure comme un ménestrel. Ce nom inconnu par ailleurs est certainement un surnom amusant de jongleur : Cortebarbe, c'est celui qui a une barbe courte. Le fabliau *Saint Pierre et le jongleur*, écrit à la gloire de cette profession, a sans doute été imaginé par un jongleur pour défendre son art souvent dénigré. Le métier de jongleur est en effet considéré au Moyen Âge comme une occupation diabolique. Mais, à la fin de ce récit, les jongleurs échappent tous à l'Enfer et gagnent le Paradis. Par ailleurs, on sait que Jacques de Baisieux, qui compose *La Vessie au prêtre*, était un trouvère de la fin du XIIIe siècle, probablement originaire de Flandres. D'autres noms encore apparaissent dans les fabliaux, mais les auteurs n'ont pu être identifiés car nous n'avons conservé aucun détail concernant leur vie.

### 3. *Le lien entre l'écrivain et le jongleur*

Les fabliaux sont des œuvres destinées à être récitées en public. Cette caractéristique a une conséquence sur le récit lui-même. En effet, en lisant ces contes à rire, on remarque que l'écrivain et le jongleur sont tous deux essentiels à la vie du fabliau : l'auteur, bien entendu, puisque c'est lui qui imagine l'aventure, mais aussi le jongleur qui récite le texte devant un public. Tous deux sont présents à l'intérieur même du récit. Le jongleur, qui prend en charge la narration, cite souvent l'auteur qui a composé l'œuvre et s'adresse directement au public : « Jehan le Galois nous raconte que dans le comté de Nevers demeurait un riche bourgeois » (*La Bourse pleine de sens*). Au début des *Trois Aveugles de Compiègne*, le jongleur affirme à son auditoire que c'est Cortebarbe qui est à l'origine du fabliau.

Mais parfois le conteur reste vague et donne à entendre un récit qui lui est parvenu oralement : « Si l'on peut croire un fabliau, il arriva, m'a dit mon maître, qu'à Bailleul... » (*Le Vilain de Bailleul*). Ailleurs, le jongleur connaît l'histoire par simple ouï-dire : « je vous dirai l'histoire vraie — que j'ai entendu raconter — d'un prêtre habitant près d'Anvers » (*La Vessie au prêtre*) ; « J'ai ouï conter qu'un larron vint rôder près d'une maison où habitait un homme riche » (*Le Larron qui embrassa un rayon de lune*).

Ces tournures qui ouvrent certains fabliaux sont traditionnelles. Elles tiennent de l'artifice rhétorique : le jongleur affirme qu'il a entendu raconter une histoire pour ne pas dire qu'il l'a lui-même inventée. Celle qu'il va dire est donc vraie, le public

ne doit pas en douter : il est forcé de croire le maître
qui a enseigné son art à Jean Bodel dans *Le Vilain de
Bailleul*. La formule, très fréquente dans les fabliaux,
tient donc plus d'un jeu, qui vise à s'attirer les
bonnes grâces de l'auditoire.

## 2.

### Les fabliaux comme jeu :
### raconter une histoire vraie ?

Dans les fabliaux, le conteur cite l'auteur et en
même temps se joue de lui. La composante de
jeu est essentielle pour définir ce genre littéraire :
les auteurs qui veulent faire croire à la vérité de leur
histoire inventent ici un nom d'auteur, dispersent là
des détails pour « faire vrai ».

### 1. *Les prologues*

Ils sont souvent le lieu où l'auteur insiste sur la
vérité de l'aventure qu'il va raconter. « Au lieu d'un
récit inventé, je vous dirai l'histoire vraie… » (*La Vessie au prêtre*). Le jongleur des *Trois Bossus ménestrels*
insiste sur sa volonté de dire toute la vérité dans son
fabliau : « je ne mentirai pas d'un mot ».

Mais cette affirmation, si courante dans les fabliaux, est loin d'être convaincante. Au contraire, on
doit parfois s'en méfier. Car les auteurs jouent avec
cette affirmation de vérité. Au début du *Vilain de
Bailleul*, Jean Bodel met en doute la véracité de son
récit : « Si l'on peut croire un fabliau… » Dans le
fabliau des *Perdrix*, le conteur affirme qu'il veut

«dire, au lieu d'une fable, une aventure qui est vraie». Il nie ainsi le lien entre *fable* (qui désigne un récit inventé) et *fabliau*, alors même que, étymologiquement, le second nom dérive du premier. Le gage de vérité apparaît donc comme un procédé stéréotypé auquel on ne peut guère accorder sa confiance.

Parallèlement, dans d'autres prologues, on rencontre des tournures qui évoquent la distraction et le rire : «Vous plairait-il d'une bourgeoise entendre la bien bonne histoire ? » (*La Bourgeoise d'Orléans*). Ce second type de prologue vient également jeter un doute sur la vérité affichée dans les premiers.

## 2. *Le recours à la géographie*

**Les noms de lieu :** ils procurent eux aussi une illusion de vérité. Beaucoup de fabliaux indiquent l'endroit dans lequel se déroule l'aventure. Cette précision est très souvent donnée dès le prologue. Si l'on relève l'ensemble des toponymes présents dans les fabliaux, l'on s'aperçoit que les histoires s'enracinent presque exclusivement dans le nord de la France : les aveugles viennent de Compiègne, la bourgeoise d'Orléans habite à Amiens ; dans *Brifaut*, le conteur évoque les marchés d'Arras et d'Abbeville, le religieux de *La Vessie au prêtre* loge près d'Anvers, enfin, le marchand de *La Bourse pleine de sens* habite dans le comté de Nevers. Il n'y a guère que *Le Vilain ânier* qui se déroule dans le sud de la France, à Montpellier.

Mais toutes ces indications géographiques ne sont souvent que de fausses précisions visant à donner l'illusion de la vérité. Il s'agit pour les conteurs de faire croire à la justesse de leur récit en l'inscrivant dans un lieu connu du public. L'auditeur, ou le lecteur, qui reconnaît le lieu croit que le récit est véridique. Il s'agit donc d'un jeu, d'une astuce, pour donner du crédit à une histoire souvent inventée de toutes pièces.

**Pour conclure :** les conteurs accumulent de petits détails vrais pour accréditer l'aventure. Ces éléments sont exclusivement présents au début des récits : à peine le prologue passé, il n'est plus question d'allégations de vérité. Tout ce qui renvoie à la réalité du récit tient de l'artifice car les conteurs tentent d'amadouer leur public. Pour cela, ils élèvent leurs compositions à la hauteur des genres nobles, qui affirment raconter des histoires vraies, et récusent tous les reproches de mensonge dont ils pourraient être accusés.

*3.*

### Les fabliaux, des contes à rire :
### la question de la morale

L es fabliaux n'ont pas bonne réputation. Certains sont grivois, d'autres obscènes et, souvent, ils semblent se moquer de la morale : ils ne condamnent pas toujours l'adultère ni le vol, et ils glorifient la ruse à maintes reprises. Mais les fabliaux sont-ils pour autant dénués de morale ?

### 1. *Une volonté didactique affichée*

Si l'on s'attarde sur les prologues et sur les épilogues, on note que les fabliaux manifestent une volonté de transmettre un enseignement. C'est dans ce dessein que la sagesse du ménestrel est mentionnée au début des *Trois Aveugles de Compiègne*. Dans les premières lignes d'un récit écrit par Hugues Piaucele et intitulé *Sire Hain et dame Ennuyeuse*, le narrateur évoque sa volonté de donner raison, par un fabliau, à un proverbe populaire : « Hugues Piaucele a composé ce fabliau pour vous **prouver** que tel qui a femme revêche est pourvu de mauvaise bête ; il le **montre** par la querelle d'Ennuyeuse et de sire Hain. » Les verbes « prouver » et « montrer » expriment parfaitement cette volonté didactique qui est à l'origine du fabliau. Il y aurait donc une leçon, un enseignement à tirer de ces courts récits.

Les épilogues vont dans le même sens. Le fabliau montre : « Ce fabliau nous a **montré** que femme est faite pour tromper » (*Les Perdrix*), il donne une leçon : « Autre **leçon** du fabliau... » (*La Bourse pleine de sens*). Il a aussi une valeur exemplaire : « Je veux montrer par cet **exemple** que n'a ni bon sens ni mesure qui veut renier sa nature ; chacun doit rester ce qu'il est » (*Le Vilain ânier*). **Exemple** a un sens fort au Moyen Âge : il désigne un genre littéraire (l'*exemplum*) qui contient un enseignement moral. L'épilogue de *La Couverture partagée* insiste nettement sur la valeur du fabliau : « Voici l'**exemple** et la **morale** qu'ici vous a donnés Bernier. » Il semble donc que les fabliaux veuillent instruire, apporter une morale, mais également une vérité. Quelques récits se terminent d'ailleurs par un proverbe : « Tel croit avancer qui recule » (*Brunain la vache au prêtre*), « Tel rit le matin, le soir pleure ; et tel est le soir chagriné qui le matin fut en gaieté » (*Estula*). Certaines morales sont même d'une longueur assez importante, si l'on regarde par exemple les dernières lignes des *Trois Bossus ménestrels* ou de *La Couverture partagée*.

À l'opposé, il existe des fabliaux qui ne comportent pas de morale, que l'on songe à *L'Enfant de neige* ou au *Larron qui embrassa un rayon de lune*. Toutefois, dans ces deux récits, il est aisé de trouver une morale cachée, implicite. Celle-ci conseille aux femmes de ne pas prendre leur époux pour un imbécile ; celle-là invite les voleurs à ne pas croire tout ce qu'ils entendent.

## 2. *Morale ou conseil ?*

Malgré cette volonté affichée de transmettre dans le cadre du fabliau un enseignement moral, certaines fins ressemblent plus à de simples conseils pratiques qu'à des morales. Dans *Le Prêtre qui mangea les mûres*, le conteur affirme : « Le fabliau peut nous apprendre que celui-là n'est pas bien sage qui raconte tout ce qu'il pense. » Mais il ne dit en définitive rien d'autre qu'il vaut mieux se taire. Ailleurs, la morale prend une allure plutôt drôle et un peu incongrue. Vous pouvez par exemple relire la fin du *Prêtre qui fut mis au lardier* : « Vous, jolis garçons, il faut vous garder d'être mis un jour en un tel lardier. » Le conseil est amusant, mais on ne peut parler de morale.

## 3. *Une morale du rire et du plaisir*

L'intention véritable des conteurs, loin d'être morale ou didactique, s'apparente bien plutôt à une volonté de distraire et de faire rire l'auditoire. Dans *Les Trois Aveugles de Compiègne*, le conteur résume le but des fabliaux : « Fableaux sont bons à écouter : ils font oublier mainte peine, mainte douleur et maint ennui. » De même, au début du *Roi et le conteur*, le texte insiste sur le plaisir du roi à s'amuser des bons récits de son conteur et, dans un autre fabliau intitulé *La Vieille qui oint la paume du chevalier*, le conteur débute ainsi : « Je voudrais vous conter l'histoire d'une vieille pour vous réjouir. »

Face au plaisir et au rire, la volonté didactique n'a guère de place. D'ailleurs, alors que le récit occupe presque tout l'espace du fabliau, la morale n'arrive qu'à la fin, tenant souvent en quelques mots. Parfois, l'enseignement à tirer du récit relève du simple bon sens. Ailleurs, la morale est en léger décalage par rapport au contenu même du texte. Seule la gaieté importe dans ce genre littéraire et une véritable morale viendrait ternir le rire du public.

**Pour conclure :** l'univers des fabliaux est essentiellement le lieu du jeu, avec la réalité, avec la vérité comme avec la morale. Les fabliaux sont des contes à rire, non des contes à enseigner. Sous le sérieux apparent donné par la leçon ou la morale, se dissimule une volonté de réjouir l'auditoire. Le rire définit le genre. Les dernières lignes de *Saint Pierre et le jongleur* viennent lier la récitation de fabliaux aux réjouissances : « Que désormais jongleurs s'amusent, qu'ils fassent la fête à leur gré. Il n'y a plus d'enfer pour eux… »

Néanmoins, le projet moralisateur est toujours là. En effet, même si elle n'a guère d'utilité, la morale est présente dans la plupart des fabliaux et en particulier dans les plus anciens récits de la fin du XIIe siècle. Cette constance rappelle que les fabliaux sont issus d'un autre genre littéraire : les fables (*fabliau* est le diminutif de *fable*), qui comportaient toutes une morale.

Les fabliaux s'amusent avec tous les principes d'écriture : l'écrivain, la vérité, la morale. Ils prennent des libertés par rapport aux règles. Il en résulte une difficulté à isoler le genre du fabliau au sein de la multitude de récits brefs qui existe au Moyen Âge.

## 4.

## À proximité des fabliaux

L es fabliaux se définissent en particulier par leur brièveté. La concision du récit entraîne ce manque de détails que nous avons constaté dans le chapitre consacré à la « Vie littéraire » : les descriptions sont très rares et les détails renvoyant à la réalité ne sont pas gratuits, mais fondent l'intrigue.

### 1. *Les genres brefs*

La littérature médiévale propose plusieurs autres types de récits courts : ainsi des lais, des contes moraux ou encore des fables. Dans les lais comme dans les contes moraux, le rire est généralement absent. Les fables qui mettent le plus souvent en scène des animaux se terminent régulièrement sur une morale, comme les fabliaux. Au XII$^e$ siècle, un écrivain est particulièrement apprécié pour ses lais et pour ses fables : Marie de France. Elle a écrit douze lais, dont ceux du *Chèvrefeuille* et d'*Eliduc*, ainsi que de nombreuses fables. Le sujet de l'une d'entre elles vous rappelle sans doute un récit de Jean de La Fontaine au XVIIe siècle : il s'agit de la fable intitulée « Le Corbeau et le Renard ». Alors qu'il est perché sur un arbre, le corbeau, flatté par le renard, laisse échapper son fromage…

La grande différence entre les fabliaux et ces trois autres genres tient à ce que les fabliaux excluent toute émotion. Ils préfèrent faire rire un public qui ne s'apitoie jamais sur le sort des maris trompés ou des prêtres dupés. Par ailleurs, la réalité décrite dans les fabliaux est généralement assez triviale (l'action se passe dans les tavernes, dans la rue et non dans des palais, par exemple) et le ton est un peu grossier, sans grande délicatesse.

## 2. *Les* **exempla**

On l'oublie souvent, mais, au Moyen Âge, il existe de très nombreux textes qui viennent expliciter la Bible, la religion et ses principaux rites… En particulier, à cette époque, on rencontre une série de textes brefs que l'on nomme des *exempla* : le mot signifie « exemple ». L'*exemplum* est un court récit, composé en prose et en latin ; il raconte une petite histoire, une anecdote qui peut mettre en scène des animaux, destinée à illustrer une leçon de morale ou un sermon. Ces petits textes sont rassemblés dans des recueils. On connaît ainsi quatre recueils de Jacques de Vitry qui ont été composés entre 1222 et 1223. Césaire de Heisterbach écrit une série d'*exempla* dans la première moitié du XIIIe siècle. Enfin, le dernier recueil que nous connaissons a été composé par Étienne de Bourbon après 1250.

Fabliaux et *exempla* sont assez proches : ces deux

genres sont brefs et racontent les faits ordinaires de la vie quotidienne. Mais, dans les *exempla*, la morale occupe une place beaucoup plus importante que dans les fabliaux. D'autre part, il n'est pas véritablement question de rire mais d'enseigner une conduite conforme aux exigences de l'Église.

## 3. Le Roman de Renart

Écrite à peu près à la même période que les fabliaux, cette œuvre anonyme met en scène la désobéissance constante de Renart à son roi, le lion Noble, et la guerre sans merci qui oppose le goupil à son plus célèbre ennemi : Isengrin, le loup. Comme les fabliaux, *Le Roman de Renart* est composé de plusieurs aventures (elles sont appelées *branches*) relativement courtes. Mais contrairement aux fabliaux, dans *Renart* il n'y a qu'un seul héros : c'est le goupil, et les personnages reviennent d'une aventure à l'autre : l'unité en est donc plus grande. La ruse, les aventures un peu triviales, le thème de l'adultère, l'esprit satirique... contribuent à rapprocher les deux genres.

Une grande différence demeure cependant : en effet, si les personnages des fabliaux sont presque uniquement des hommes, dans *Le Roman de Renart* les héros sont des animaux qui quelquefois rencontrent des humains.

**Pour conclure** : les fabliaux ressemblent donc à d'autres genres existant à la même époque. Mais le rire qui domine dans l'ensemble de ces récits contribue à en faire un genre très original.

### Petit lexique pour lire
### les fabliaux

**Artifice rhétorique :** technique de discours mise en
œuvre pour tromper.

**Didactique :** qui vise à instruire, à enseigner.

**Épilogue :** lignes qui terminent le récit.

**Exemplum :** récit bref composé en latin et destiné à
s'insérer dans des sermons religieux.

**Fable :** récit bref à portée didactique.

**Lai :** petit conte en vers.

**Prologue :** lignes qui débutent le récit.

**Satirique :** qui s'attaque à quelqu'un ou à quelque
chose en se moquant.

**Toponymes :** les noms de lieu.

**Trivial :** ce qui est grossier, vulgaire.

## Groupement de textes thématique

### Le repas dans quelques textes médiévaux

DE NOMBREUX fabliaux décrivent des scènes de repas, la femme adultère reçoit son amant et lui prépare un somptueux dîner dans *Le Prêtre qui fut mis au lardier* ; ailleurs, la femme trop gourmande avale deux perdrix qu'elle vient de faire rôtir... Les exemples sont multiples. Car au Moyen Âge, à une époque où les famines se succèdent, la table devient le reflet de la richesse, de l'opulence. Dans les chansons de geste, le banquet est une manifestation de la puissance du seigneur qui fait partager sa table à ses convives. Les dîners, généreux et somptueux dans les romans courtois, sont le signe d'un art de vivre fin et élégant. Mais les repas prennent une signification bien différente dans les fabliaux ou dans *Le Roman de Renart*. Manger et boire, souvent à outrance, sans aucune mesure, traduit un univers de fête débordante et rappelle les fastes du carnaval.

# 1.

## L'évocation de la puissance dans les chansons de geste

### *Aliscans*

(trad. par B. Guidot et J. Subrenat, Champion,
« Classiques français du Moyen Âge »)

*Aliscans est une chanson de geste qui appartient au cycle de Guillaume d'Orange. Le titre désigne le lieu d'une violente bataille qui oppose les Sarrasins et les hommes de Guillaume. Lors de cet affrontement, le héros combat aux côtés de Vivien, un vaillant chevalier, qui est mortellement blessé. Devant l'ampleur du désastre, Guillaume décide de retourner à Laon, auprès du roi Louis, pour lui demander des renforts. Cependant il est alors bien mal accueilli : il lui faut s'emporter violemment contre la reine avant d'obtenir l'aide qu'il souhaite.*

*Louis fait ensuite dresser les tables et servir un repas somptueux. Mais, tandis que tous les chevaliers partagent la même liesse, Guillaume est fort mécontent de la gestion du royaume par Louis et refuse de dîner. À la fin du banquet, le chevalier rencontre Rainouart, un employé des cuisines, dont la brutalité terrifiante sera d'un grand secours à Guillaume lors des futures batailles.*

La Cour se laisse gagner par la liesse ; tout l'entourage royal manifeste sa joie. Grâce à Guillaume, la Cour en sort grandie. Le roi ordonne de dresser la table, celle qui est incrustée d'or fin.
Voilà ce que Guillaume a conquis par son audace. Ainsi en est-il de l'homme qui remet en place les orgueilleux : il n'en viendra jamais à bout s'il ne les malmène pas. Les jongleurs mènent un joyeux tapage. Ce fut une très belle réunion de chevaliers.

(laisse 70)

Grande fut l'allégresse là-haut dans le vaste palais. Le roi fait dresser sa grande table, celle qui est décorée d'un échiquier. On sonne d'un petit cor pour faire apporter l'eau. Quand les vaillants chevaliers se sont lavé les mains, ils s'assoient pour le repas le long des tables. Aymeri est assis à côté de sa femme à la table d'honneur sur l'imposante estrade. L'empereur qui règne sur la France a pris place à son côté, — il peut bien l'avoir en grande affection, — et la reine est à sa gauche. Guillaume le marquis au visage farouche était assis avec ses frères qu'il aimait profondément. À côté de lui, sa nièce, Aélis à la parfaite éducation, qui n'attirait que des éloges. Rainouart la reçut ensuite comme épouse ; Louis ne voulait pas la lui donner, mais c'est le comte Guillaume qui la lui fit épouser. Ce Rainouart a tué plus tard Haucebier dans le gigantesque combat d'Aliscans, ainsi que sept mille autres guerriers de la race démoniaque.

Maintenant la chanson redouble d'intérêt, — il n'y en a pas eu de cette valeur depuis l'époque d'Olivier [1], — et va raconter les exploits de Rainouart qui a tué Loquifer et y conquit une massue d'acier qu'il n'aurait pas donnée pour un muid de deniers. Elle lui permit ensuite de massacrer mille païens. Il abattit le clocher édifié par les Sarrasins à Loquiferne et fonda un important monastère pour établir et exalter notre foi, après avoir tué sept mille suppôts de Satan, si bien qu'il ne laissa que des décombres en Égypte. Dieu lui accorda une glorieuse récompense ; il donna à son âme le repos avec les anges. Il nous faut revenir à notre récit ; bénie soit l'âme de celui qui le commença.

On entendait un grand vacarme là-haut dans le vaste palais, les vaillants barons étaient assis à table. Il y avait cent jeunes gens pour apporter la boisson

---

1. Olivier est le célèbre compagnon de Roland dans *La Chanson de Roland*.

et autant pour servir le repas. Il n'est pas possible de décrire les excellents plats ; il y en eu tant que je ne saurais vous les louer. Le comte Guillaume, le marquis au visage farouche, fit venir son hôte Guimar avec son épouse et les fit asseoir auprès de lui pour le repas ; Guillaume le guerrier les traite avec grand honneur. »

(laisse 71)

Ce fut une grande réunion à la Cour, dans la salle du palais de Laon. On servit abondance d'oiseaux et de gibier. On eut beau manger viandes et poissons, Guillaume, lui, n'en avala pas un morceau. Mais il mangea du pain grossier et but de l'eau en quantité, au grand étonnement des vaillants chevaliers. Quand tous eurent bien mangé et bien bu, les écuyers et les valets ôtèrent les nappes...

(laisse 72)

*Le repas organisé par Louis allie les mets succulents disposés sur une riche table et la présence des jongleurs venus animer de leurs chansons et de leur musique le déroulement du festin. La description de la scène est très proche des habitudes médiévales, en particulier lorsque le roi fait sonner du cor pour que l'on apporte l'eau (cette réalité est également présente dans le texte suivant) et lorsque le conteur énumère les différents plats composés de viandes (gibiers ou volailles) et de poissons.*

*Dans la laisse 71, le conteur interrompt la description du banquet pour s'attarder sur un personnage que le lecteur ne connaît pas encore : c'est Rainouart, le géant cuisinier. Le récit qu'il fait de la vie future de Rainouart ressemble à ce que pourraient dire des jongleurs lors d'un festin. Ainsi, le conteur fait passer la description du banquet au deuxième plan et annonce la naissance d'un nouveau héros, compagnon de Guillaume.*

## 2.

# Le mystérieux repas de Perceval au château du graal

**CHRÉTIEN DE TROYES (vers 1135-1183)**

*Perceval ou Le Conte du Graal*

(Gallimard, « Bibliothèque de la Pléiade »)

*Alors que Perceval chevauche à travers la forêt, il découvre dans une plaine le château du Roi-Pêcheur. Accueilli dans la mystérieuse demeure, il dîne en compagnie du seigneur. Pendant le repas, il assiste à un bien étrange cortège...*

Le seigneur ordonna aux serviteurs d'apporter l'eau et de sortir les nappes. Ceux dont c'est l'office habituel font alors ce qu'ils ont à faire. Le seigneur et le jeune homme se lavèrent les mains avec de l'eau tiède, tandis que deux serviteurs apportaient une large table d'ivoire. Selon le témoignage du conteur, elle était faite d'une seule pièce. Ils l'ont tenue un moment devant le seigneur et le jeune homme, en attendant deux autres serviteurs qui apportèrent deux tréteaux. Le bois dont ces tréteaux étaient faits avait deux propriétés remarquables qui rendaient ces éléments indestructibles ; ils étaient d'ébène et ce bois, personne n'avait à craindre qu'il pourrisse ou qu'il brûle, car il n'était sensible à aucun de ces deux dangers. On posa la table sur ces tréteaux, et l'on mit la nappe. Mais que dirai-je de la nappe ? Jamais légat ni cardinal ni pape ne mangea sur une nappe aussi blanche. Le premier plat servi était de la hanche de cerf de haute graisse, au poivre chaud. Comme boisson, vin clair et vin râpeux à volonté, servis dans des coupes d'or. Devant eux, un serviteur découpa la hanche de cerf au poivre qu'il avait disposée à portée de main sur le tailloir d'argent puis il leur présenta les tranches sur un gâteau entier. Sur ces entrefaites, le graal [1] passa une nouvelle fois devant eux, et le jeune homme ne demanda pas à qui l'on faisait le service du graal. Il hésitait à cause du maître qui lui avait doucement reproché de trop parler ; il y pensait toujours, et en cet instant il s'en souvint. Mais il s'est tu plus longtemps qu'il ne convenait. À chaque plat que l'on servait il voyait passer devant lui le graal, bien découvert, sans savoir à qui l'on en faisait le service. Et pourtant il aurait bien voulu le savoir, mais il posera la question sans faute, se dit-il, avant de partir, à l'un des serviteurs de la cour ; il attendra jusqu'au matin, au moment de prendre congé du seigneur et de tous les gens de sa maison. C'est ainsi que la chose est remise à plus tard, et le jeune homme s'applique à boire et à manger. Du reste, on ne lésine pas sur la nourriture ni sur le vin, à cette table où tout ce que l'on sert est agréable et savoureux.

Le repas fut donc raffiné et excellent. De tous les mets dont il est d'usage de servir rois, comtes et empereurs, furent régalés ce soir-là le noble seigneur et le jeune homme qui partagea son repas.

*Le repas de Perceval est d'une richesse exceptionnelle. La table et la nappe sont somptueuses, tout comme les plats et les coupes d'or. Les mets servis, la hanche de cerf au poivre accompagnée d'un excellent vin, sont des plus*

---

1. Le graal est un riche récipient, il est tenu par une belle demoiselle. Perceval assiste à un véritable défilé : un jeune homme marche en tête, portant une lance blanche, deux jeunes hommes le suivent tenant des chandeliers, puis vient la jeune fille au graal. Une autre demoiselle ferme la marche, elle tient un tailloir en argent. Tous pénètrent dans une pièce qui reste inconnue à Perceval.

*raffinés pour les hommes du Moyen Âge. Mais, au-delà
de la richesse, le service ressemble à un véritable spectacle :
le défilé des serviteurs qui apportent les différents éléments
du repas est suivi par le cortège du graal. L'ensemble
s'apparente à une cérémonie religieuse dont Perceval
ne comprend pas le sens. Et le jeune homme n'interroge
pas son hôte sur la signification de ce défilé; il ne
demande pas au seigneur à qui l'on fait le service du
graal. S'il avait posé quelques questions au sujet de ce
mystérieux service, le Roi-Pêcheur aurait été guéri. Perceval
sera puni pour cette faute : le lendemain, à son réveil, alors
qu'il pensait interroger les serviteurs du château, Perceval
se retrouve seul. Il quitte ce lieu presque magique en ignorant le sens de ce à quoi il a assisté.*

## 3.

## Repas de débauche :
## Des *Trois Dames de Paris*
## au *Roman de Renart*

### « Les Trois Dames de Paris »

(*Fabliaux*, éd. G. Rouger,
« Folio classique » n° 3222)

*Un jongleur raconte qu'en 1320, le jour de l'épiphanie,
trois femmes préfèrent dépenser leur argent à la taverne
plutôt que d'entendre la grand-messe. Elles se rendent donc
chez Perrin du Terne, un tavernier nouvellement installé,
pour goûter son vin.*

Toutes trois prennent le chemin de la taverne
des Maillets. Avec elles vint un valet; c'était le
fils Drouin Baillet; grâce à lui, je connais l'histoire, car il leur servit à manger et leur apporta à
leur gré tout ce qu'on peut trouver de bon. Il fallait les voir jouer des dents, emplir et vider les

hanaps [1] : en un rien de temps, je crois bien, quinze sous furent dépensés. «Rien pour moi n'aura de saveur dans ce repas, dit Margue Clouve, si nous n'avons une oie bien grasse avec des aulx plein une écuelle.» Drouin enfile la ruelle, va courant chez le rôtisseur. Il prend une oie, et puis des aulx de quoi remplir tout un grand plat, et pour chacune un gâteau chaud; il ne s'attarde pas en route. Quel tableau de les voir tâter aux aulx piquants et de l'oie grasse qui fut mangée en moins de temps qu'il ne fallut pour la tuer! Et Margue commence à suer, et boit à grandes hanapées. En un clin d'œil furent vidées trois chopines dans son gosier. «Dame, j'en atteste saint Georges, dit Maroclippe sa commère, ce vin me fait la bouche amère; ce que je veux, c'est du grenache. Me faudrait-il vendre ma vache, j'en aurais au moins un plein pot.» Elle hèle à grands cris Drouin et lui dit : «Va nous apporter, pour nous ragaillardir la tête, trois chopines de bon grenache. Garde-toi de nous faire attendre. Apporte des oublies [2], des gaufres, amandes pelées, du fromage, des noix, du poivre, des épices, que nous en ayons à plenté pour florins et pour gros tournois.» Drouin galope et elle entonne par jeu une chanson nouvelle! «Commère, menons grande joie! Le vilain paiera la dépense mais au vin ne goûtera pas.»
Chacune ainsi prend du bon temps. Drouin apporte le grenache et le verse dans les hanaps : «Ma commère, buvons-en bien, dit Marie à dame Fresens. C'est du vin, pour garder sa tête, bien meilleur que le vin français.» Chacune de lever son verre. Aussitôt, en un tournemain, tout fut lapé et englouti. «Ce méchant pot est trop petit, dit Marion, par saint Vincent, et vraiment nous n'avons pas peur de boire le quartier d'un cent. Je n'ai fait que goûter au vin. J'en veux

---

1. Le hanap est une coupe pour boire le vin.
2. Les oublies sont de petits gâteaux gaufrés.

encore, il est si bon. Va, Drouin — Dieu te vienne en aide ! —, et rapporte-nous-en trois quartes. Avant que tu partes d'ici, tout sera lampé. » Drouin court ; il revient le plus tôt qu'il peut et donne à chacune son pot. « Tiens, camarade bienvenu, mange un morceau et bois un coup. Cela vaut mieux que vin d'Arbois ou que vin de Saint-Émilion. — C'est bien vrai, répond Marion. Que mon pot soit plein jusqu'aux bords, bientôt il n'en restera goutte. — Que tu as la gorge gloutonne, dit Maroclippe, belle nièce ! Je ne le boirai pas d'un coup, mais le boirai à petits traits, pour mieux le garder sur la langue. Il est bon de faire un soupir un instant entre deux lampées : ainsi plus longtemps reste en bouche la douceur du vin et sa force. » Chacune se met en devoir d'engloutir son pot de grenache et personne ne pourrait croire comment elles s'y employèrent. Du matin jusqu'à la mi-nuit elles menèrent vie joyeuse, ayant toujours le hanap plein. « Je voudrais m'en aller dehors, dit Margue Clippe, dans la rue danser sans que nul ne nous voie. Cela couronnera la fête. Nous nous découvrirons la tête et mettrons notre corps à l'air. — Vous laisserez ici vos robes, dit Drouin, en guise de gage. » Et Drouin les pousse dehors chantant chacune à pleine voix : « Amour, au vireli m'en vais. »… Leurs pauvres maris les croyaient toutes trois en pèlerinage…

## ANONYME

### Le Roman de Renart

« Renart et Primaut »
(éd. A. Strubel, Gallimard,
« Bibliothèque de la Pléiade »)

*Renart le goupil et Primaut le loup pénètrent dans une église : Renart sait qu'il trouvera à l'intérieur de quoi faire un bon repas. Et en effet, dans une armoire, les compères découvrent du pain, du vin et de la viande en quantité. Ils*

*mettent la nappe sur l'autel, s'assoient par terre et goûtent
avec appétit les divers mets. Renart le rusé prend garde à
ne pas trop boire alors que Primaut est bientôt saoul. Le loup
veut chanter la messe et c'est en sonnant les cloches qu'il
finira par réveiller le prêtre et les habitants du village qui
s'empresseront de le battre.*

*Cette scène de repas à l'intérieur d'une église constitue
une parodie du dernier repas du Christ, la Cène, et du rite
de l'Eucharistie : lors de la messe, le prêtre distribue l'hos-
tie et boit le vin.*

Renart déclara : « Primaut, à présent nous avons
largement de quoi manger, Dieu merci ! Étends donc
ici la serviette que tu vois sur cet autel, et apporte
là ce sel, nous goûterons à cette viande. Certes, ce
n'est pas un avare, celui qui l'a cachée ici ! Mangeons
donc, que Dieu nous conduise ! » Sitôt dit, sitôt fait :
Primaut a sorti de la huche le pain et l'excellent vin
d'Auxerre. Tous deux s'assoient par terre et mangent ensemble, là, à ce qu'il me semble, une vraie
débauche de pain, de vin et de viande. Ils n'auraient
pas été si joyeux s'ils avaient été chez eux. Renart dit
tout bas, pour ne pas être entendu : « Primaut, tu es
heureux, mais, aussi vrai que je demande à Dieu
d'avoir pitié de moi, je manquerai vraiment d'habileté si tu ne te lamentes pas au bout du compte. J'y
mettrai toute ma subtilité et mon application. Primaut, dit-il, je suis très heureux que vous soyez ainsi
à votre aise. Versez de ce vin, et buvez, vous n'avez
rien à craindre. Quelle bonne journée pour vous ! »
Primaut répond : « Sachez, sans mentir, que nous en
aurions encore à satiété si nous étions trois de plus. »
Ils burent tellement à volonté que Primaut sentait son
cerveau bouillir. Renart, qui s'en rendait parfaitement compte, lui dit : « Camarade, nous perdons
notre temps quand nous ne buvons pas de ce vin :
buvez-en donc, seigneur Primaut, soyez joyeux et
réjouissez-vous ! — C'est ce que je fais, dit Primaut,
par ma foi ; et toi, Renart, verse et bois ! — Je ne m'en

prive pas, fait Renart. Mais vous, très cher ami, buvez : vous me semblez le faire sans grand entrain ! Buvez avec un peu plus d'ardeur : vous me paraissez faiblir ! » Primaut rétorque : « Je bois plus que toi ! — Non pas, dit Renart, par ma foi, j'en ai bu plus que toi, largement une bonne lichette. Mais tiens ton hanap : santé, donc ! Vieux camarade, je te dis « tchin tchin ! » — Par ma foi, dit Primaut, je veux bien ! Nous verrons bien qui se dédiera le premier et qui boira le plus vite le vin et videra le premier le hanap ! Renart, je crois que vous pensez me battre sur ce terrain, mais vous n'y arriverez pas : voyons comment vous allez boire ! Videz ce hanap que vous avez à la main, et ensuite remplissez-le et donnez-le-moi, je tiendrai mon pari. » Renart fait mine de boire mais jette le vin sous son vêtement. L'autre, dont le cerveau est embrumé, ne s'aperçoit de rien. Renart remplit le hanap et Primaut le boit dans la joie et l'allégresse. Ses yeux brillent dans son visage comme deux charbons enflammés. Il est persuadé qu'il est plus fort à lui tout seul que Noble le lion[1] et toute sa suite. Renart est d'humeur joyeuse et ne cesse de lui donner à boire : inutile d'être à côté du tonneau ! Primaut buvait tant et plus, et Renart lui faisait constamment lever le coude : quelle fête c'était pour lui ! Le vin est monté à la tête de Primaut, tant il en a bu : « Renart, dit-il, avez-vous vu, c'est Dieu qui nous a conduits ici : nous avons été bien servis pour ce souper, Dieu merci ! Nous ne saurions être plus à l'aise si nous étions maire ou pair. Assurément, je vous le dis, par mes yeux, je veux aller maintenant chanter la messe à cet autel, car j'y vois déjà tout prêts les ornements et le missel. C'est dans cette intention qu'ils y ont été placés, à coup sûr. Et je me souviens que dans ma jeunesse j'ai appris à chanter et à lire : vous allez en entendre de ma bouche la meilleure partie. »

---

1. Noble est le roi du *Roman de Renart.*

Quand Renart entendit ces mots, il se réjouit fort
en lui-même, car il était désormais certain que Primaut devrait payer son écot avant de sortir de là.

(branche XIII)

*Le repas est un moment de plaisir qui met les sens en*
*éveil. Les personnages se laissent aller à leurs désirs :*
*Margue Clippe souhaite danser nue devant la taverne ; le*
*loup Primaut veut dire la messe et sonner les cloches. Lors*
*de ces deux repas, l'alcool accompagne la viande ; l'ivro-*
*gnerie vient compléter la goinfrerie : il s'agit de boire en*
*abondance. Mais le vin est aussi goûté avec délicatesse :*
*les trois dames apprécient le grenache ; Renart et Primaut*
*dégustent un excellent vin d'Auxerre. Ce bon vin goûté*
*avidement appelle l'ivresse dans* Les Trois Dames de
Paris *comme dans l'extrait du* Roman de Renart.
*L'ivresse fait perdre la raison et entraîne les personnages*
*sur la pente du ridicule. À la fin de l'aventure, ceux qui*
*se sont laissé prendre par leurs désirs sont punis : les trois*
*dames gisent ivres mortes dans la rue et sont enterrées*
*vives avant de se réveiller ; Primaut, lui, est copieusement*
*battu par le prêtre et les villageois qu'il a réveillés en son-*
*nant les cloches.*

# 4.

## Apéritif de pèlerins

### François RABELAIS (1483-1553)

« Comment Gargantua mangea
six pèlerins en salade »
(Éd. du Seuil, « L'Intégrale »)

*L'importance du repas dans la littérature dépasse bien*
*entendu le Moyen Âge. Je vous propose un dernier texte qui*
*nous invite un peu au-delà de l'époque médiévale. Au*

*xviᵉ siècle, deux géants apparaissent sous la plume de
Rabelais : Gargantua, le fils de Gargamelle et de Grandgousier, puis Pantagruel, le fils de Gargantua. L'œuvre
complète de Rabelais est marquée par l'abondance de la
nourriture et du vin, des repas et banquets tous plus impor-
tants les uns que les autres. Lorsqu'il écrit les scènes de
repas, Rabelais se souvient en particulier de la littérature
médiévale : des traités sur la nourriture écrits en langue
latine ou bien des fabliaux et peut-être même du* Roman
de Renart.

*Gargantua est donc un géant, son appétit est démesuré.
En guise d'apéritif, et pour apaiser la faim qui commence
à se faire sentir, il décide de cueillir et de préparer quelques
salades.*

Notre sujet veut que nous racontions ce qui arriva
à six pèlerins qui venaient de Saint-Sébastien, près
de Nantes. Pour se reposer, cette nuit-là, ils s'étaient
cachés au jardin sur les fanes des pois, entre les
choux et les laitues, de peur des ennemis.
Gargantua, qui se sentait une pointe d'appétit,
demanda si l'on pourrait trouver des laitues pour
faire une salade ; apprenant qu'il y en avait qui
étaient parmi les plus belles et les plus grandes
du pays, car elles étaient grandes comme des pru-
niers ou des noyers, il voulut y aller lui-même
et ramassa à la main ce que bon lui sembla. Il
ramassa en même temps les six pèlerins qui
avaient une si grande peur qu'ils n'osaient parler
ni tousser.
Comme il commençait par les laver à la fontaine,
les pèlerins se disaient l'un à l'autre à voix basse :
« Que faut-il faire ? Nous nous noyons ici, au milieu
de ces laitues. Parlerons-nous ? Oui, mais si nous
parlons, il va nous tuer comme espions. »
Pendant qu'ils délibéraient ainsi, Gargantua les mit
avec ses laitues dans un des plats de la maison,
grand comme la tonne de Cîteaux, et commença à
les manger avec huile, vinaigre et sel, pour se rafraî-

chir avant que de souper. Il avait déjà avalé cinq des
pèlerins. Le sixième restait dans le plat, caché sous
une laitue et seul son bourdon[1] dépassait. En le
voyant, Grandgousier dit à Gargantua :
«Je crois que c'est là une corne de limaçon. Ne la
mangez pas.

— Pourquoi ? dit Gargantua. Ils sont bons tout ce
mois-ci. »

Et, tirant le bourdon, il souleva en même temps le
pèlerin et le mangea bel et bien. Puis il but une horrible rasade de vin pineau et ils attendirent que l'on
apprêta le souper.

Les pèlerins ainsi dévorés s'écartèrent du mieux
qu'ils purent des meules de ses dents ; ils pensaient
qu'on les avait jetés dans quelque basse fosse des
prisons et, quand Gargantua but sa grande rasade,
ils crurent se noyer dans sa bouche : le torrent de
vin faillit les entraîner jusqu'au gouffre de son esto-
mac. Toutefois, en sautant avec leurs bourdons
comme font les pèlerins de Saint-Michel, ils s'éva-
dèrent le long des dents. Mais, par malheur, l'un
d'eux, tâtant le terrain avec son bourdon, pour
savoir s'ils étaient en sécurité, frappa rudement au
creux d'une dent gâtée et heurta le nerf de la
mâchoire, ce qui causa une très vive douleur à Gargantua qui commença à crier, rapport à la rage qu'il
endurait. Alors, pour soulager son mal, il fit apporter son cure-dent et, sortant vers le noyer grollier[2],
il vous dénicha messieurs les pèlerins. Il en extirpa
un par les jambes, un autre par les épaules, un autre
par la besace, un autre par la bourse, un autre par
l'écharpe ; quant au pauvre hère[3] qui l'avait frappé
de son bourdon, il l'accrocha par la braguette ; toutefois, ce fut une chance pour lui, car il lui perça un

1. Le bourdon est un long bâton de pèlerin.
2. C'est un noyer sur lequel viennent se poser des corneilles.
3. Un hère est un homme misérable.

abcès chancreux qui le martyrisait depuis qu'ils avaient dépassé Ancenis.

C'est ainsi que les pèlerins dénichés s'enfuirent à travers les vignes à belles enjambées et que la douleur s'apaisa.

(livre premier, chapitre 38)

# 5.

## Pour prolonger le groupement de textes

Si les scènes de repas sont très fréquentes en littérature, et en particulier dans les fabliaux, on observe un écho de cette importance dans un autre domaine : c'est la peinture. Vous pouvez continuer ce groupement en recherchant les œuvres de Bruegel, par exemple *Le Pays de Cocagne* ou *Le Repas de noces*, qui datent à peu près de la même époque : 1567 et 1568, ou en regardant l'un des deux tableaux de Jérôme Bosch : soit *Gula* (Gourmandise) dans *Les Sept Péchés capitaux,* soit, évidemment, *La Nef des fous,* qui sert de couverture à notre livre et dont vous avez lu l'analyse p. 127 et suivantes.

# Groupement de textes stylistique

## Les procédés du comique

LES FABLIAUX SONT des contes à rire. Les maris battus, les aveugles bernés, le prêtre prisonnier des ronces ou les trois ménestrels malencontreusement morts étouffés dans les coffres où ils se tenaient cachés, tous nous font rire. Ils meurent, ils souffrent, ils sont trahis… Malgré tout, on ne peut s'empêcher de s'amuser à leurs dépens. Car les fabliaux utilisent un certain nombre de procédés comiques qui font naître le rire. Ainsi, ni la mort ni la douleur n'éveillent le pathétique. Au contraire, le lecteur se réjouit d'un bon tour, celui joué par Boivin de Provins, dans le fabliau du même nom, ou celui joué par l'épouse du paysan, dans *Le Vilain mire*.

## *1.*

## Le comique de situation

Le rire naît le plus souvent du fait qu'un des personnages ignore ce qui se passe autour de lui. Dans *La Bourgeoise d'Orléans*, le mari trompé s'imagine mettre au jour l'infidélité de sa femme en se faisant passer pour son amant. Mais l'époux se retrouve en réalité piégé : il est vigoureusement battu par ses deux neveux, un porteur d'eau, trois chambrières, sa nièce, deux valets et un homme de peine qui pensent saisir le clerc venu séduire la bourgeoise.

### ANONYME

#### *Aucassin et Nicolette*

(éd. de Philippe Walter,
«Folio classique» n° 3265)

*Aucassin et Nicolette est une chantefable, un récit entrecoupé de parties chantées, qui date de la fin du XIIe ou du début du XIIIe siècle. On ne connaît pas l'auteur de cette histoire dans laquelle Aucassin, le fils du comte Garin de Beaucaire, tombe amoureux d'une jeune Sarrasine : Nicolette. Les parents d'Aucassin s'opposent bien sûr à leur union. Après de nombreuses mésaventures, les deux jeunes gens finiront par se marier. Mais auparavant, Aucassin traverse le royaume de Turelure dans lequel il assiste, en compagnie du roi, à une bien curieuse bataille…*

Le roi et Aucassin vont à cheval jusqu'à l'endroit où se trouvait la reine et tombent sur la bataille où l'on se battait à coups de pommes des bois blettes, d'œufs et de fromages frais. Et Aucassin regarde et s'étonne beaucoup.

#### XXXI Chanté

Aucassin s'est arrêté,
appuyé sur l'arçon de sa selle,
et se met à regarder
cette violente bataille rangée.
On avait apporté
beaucoup de fromages frais,
des pommes des bois blettes
et de gros champignons des champs.
Celui qui souille le plus l'eau du gué
est proclamé roi des combats.

Le preux et vaillant Aucassin
se prend à les regarder
et se met à rire.

## XXXII Parlé : récit et dialogue

Quand Aucassin voit ce prodige, il va vers le roi et lui dit :
« Seigneur, sont-ce là vos ennemis ?
— Oui, seigneur, répond le roi.
— Voudriez-vous que je vous venge d'eux ?
— Oui, dit-il, bien volontiers ! »
Et Aucassin met la main à l'épée, se lance au milieu d'eux et se met à frapper à droite et à gauche, tuant beaucoup de gens. Mais quand le roi voit qu'il les tue, il le prend par la bride de son cheval et dit :
« Ah, beau seigneur, ne les tuez pas comme cela !
— Comment, dit Aucassin, ne voulez-vous pas que je vous venge d'eux ?
— Seigneur, dit le roi, vous en avez trop fait. Nous n'avons pas l'habitude de nous entre-tuer. »

*Aucassin assiste en spectateur stupéfait à une bataille de fromages, de pommes et d'œufs dans le royaume de Turelure. L'usage de telles armes est bien étonnant et engendre le rire : celui d'Aucassin, bien entendu, mais aussi celui du lecteur qui imagine les œufs cassés, les fromages frais et les pommes blettes écrasés sur les corps et les visages des combattants. Ce qui est plus drôle encore, c'est qu'Aucassin se trompe sur le sens de cette bataille et s'élance pour tuer de son épée quelques combattants. Sa présence au milieu de la mêlée est décalée, comme le lui fait remarquer le roi. Ce décalage entre d'un côté la scène burlesque et de l'autre l'engagement plus chevaleresque d'Aucassin engendre un comique de situation. Le jeune homme, qui ne connaît pas les usages et les traditions du royaume de Turelure, commet un impair.*

## 2.

### Le comique de mot

Il provient d'un écart surprenant par rapport à la langue habituelle. Un juron, un calembour, un mot pour un autre sont des anomalies qui engendrent le rire. Dans *Estula*, le nom du chien donne lieu à un calembour. Souvenez-vous du texte. « Le chien se nommait Estula [prononcez *étula* car le *s* ne s'entend pas devant *t* dans la langue médiévale], mais par bonheur pour les deux frères, il n'était pas à la maison. » Donc Estula (« Es-tu là ? ») n'est pas là. Néanmoins, entendant appeler le chien, le voleur répond : « Eh oui ! vraiment, je suis ici » = « je suis là ».

### Jean TARDIEU (1903-1995)

*Un mot pour un autre* (1951)

(Gallimard)

*Avant l'ouverture de la pièce, dans le préambule, Tardieu explique : « Vers l'année 1900 — époque étrange entre toutes —, une curieuse épidémie s'abattit sur la population des villes, principalement sur les classes fortunées. Les misérables atteints de ce mal prenaient souvent les mots les uns pour les autres, comme s'ils eussent puisé au hasard les paroles dans un sac. Le plus curieux est que les malades ne s'apercevaient pas de leur infirmité, qu'ils restaient d'ailleurs sains d'esprit, tout en tenant des propos en apparence incohérents, que, même au plus fort du fléau, les conversations mondaines allaient bon train, bref, que le seul organe atteint était : le "vocabulaire". »*

*La pièce regroupe quatre personnages : Madame,*

*Madame de Perleminouze, Monsieur de Perleminouze et Irma, la servante de Madame. L'extrait que vous pouvez lire est tiré du début de la pièce. Madame de Perleminouze vient rendre visite à son amie (Madame), qu'elle n'a pas vue depuis longtemps. Madame fait semblant de la recevoir avec plaisir, mais en réalité, elle est bien ennuyée de la voir car elle attend Monsieur de Perleminouze, son amant.*

> *Irma se retire en maugréant. Un temps. Puis la sonnette de l'entrée retentit au loin.*

IRMA, *entrant. Bas à l'oreille de Madame et avec inquiétude* : C'est Madame de Perleminouze, je fris bien : Madame (*elle insiste sur « Madame »*), Madame de Perleminouze.

MADAME, *un doigt sur les lèvres, fait signe à Irma de se taire, puis, à voix haute et joyeuse* : Ah ! Quelle grappe ! Faites-la vite grossir !

> *Irma sort. Madame en attendant la visite se met au piano et joue. Il en sort un tout petit air de boîte à musique.*
> *Retour d'Irma, suivie de Madame de Perleminouze.*

IRMA, *annonçant* : Madame la comtesse de Perliminouze !

MADAME, *fermant le piano et allant au-devant de son amie* : Chère, très chère peluche ! Depuis combien de trous, depuis combien de galets n'avais-je pas eu le mitron de vous sucrer ?

MADAME DE PERLEMINOUZE, *très affectée* : Hélas ! Chère ! J'étais moi-même très, très vitreuse ! Mes trois plus jeunes tourteaux ont eu la citronnade, l'un après l'autre ! Pendant tout le début du corsaire, je n'ai fait que nicher des moulins, courir chez le ludion ou chez le tabouret, j'ai passé des nuits à surveiller leur carbure, à leur donner des pinces et des moussons. Bref, je n'ai pas eu une minette à moi.

MADAME : Pauvre chère ! Et moi qui ne me grattais de rien !

MADAME DE PERLEMINOUZE : Tant mieux ! Je m'en recuis ! Vous avez bien mérité de vous tartiner, après les gommes que vous avez brûlées ! Poussez donc : depuis le mou de Crapaud jusqu'à la mi-brioche, on ne vous a vue ni au « Waterproof », ni sous les alpagas du bois de Migraine ! Il fallait que vous fussiez vraiment gargarisée !

MADAME, *soupirant* : Il est vrai !... Ah ! Quelle céruse ! Je ne puis y mouiller sans gravir.

[La conversation reste courtoise. Mais arrive Monsieur de Perleminouze...]

> *À ce moment, la porte du fond s'entrouvre et l'on voit paraître dans l'entrebâillement la tête de Monsieur de Perleminouze, avec son haut-de-forme et son monocle. Madame de Perleminouze l'aperçoit. Il est surpris au moment où il allait refermer la porte.*

MONSIEUR DE PERLEMINOUZE, *à part* : Fiel !... Ma pitance !

MADAME DE PERLEMINOUZE, *s'arrêtant de chanter* : Fiel !... Mon zébu !... (*avec sévérité :*) Adalgonse, quoi, quoi, vous ici ? Comment êtes-vous bardé ?

MONSIEUR DE PERLEMINOUZE, *désignant la porte* : Mais par la douille !

MADAME DE PERLEMINOUZE : Et vous bardez souvent ici ?

MONSIEUR DE PERLEMINOUZE, *embarrassé* : Mais non, mon amie, ma palme... mon bizon. Je... j'espérais vous raviner..., c'est pourquoi je suis bardé ! Je...

MADAME DE PERLEMINOUZE : Il suffit. Je grippe

tout! C'était donc vous, le mystérieux sifflet dont elle était mitaine et la sarcelle. Vous, oui, vous qui veniez faire ici le mascaret, le beau boudin noir, le joli-pied, pendant que moi, moi, eh bien, je me ravaudais les palourdes à babiller mes pauvres tour-teaux… (*Les larmes dans la voix :*) Allez!… Vous n'êtes qu'un…

*À ce moment, ne se doutant de rien, Madame revient.*

## 3.

## Le comique de geste

Il est particulièrement présent dans les scènes de bagarres. Dans *Saint Pierre et le jongleur*, alors que saint Pierre joue aux dés avec le jongleur, ce dernier commence à insulter son compagnon de jeu : il le traite de « franc larron » et de « vieillard » et l'accuse de tricher. Furieux, piqué dans son orgueil, saint Pierre se lève et engage la bagarre. Le texte précise : « Ils se sont entre-déchirés, bourrés de coups et écharpés. » Les coups portés engendrent un co-mique de geste. Mais il faut ajouter qu'il y a en réa-lité plusieurs types de comiques dans ce fabliau.

Il n'est guère commun de voir un saint se battre vulgairement avec un jongleur, la sagesse du saint homme devrait au contraire l'éloigner des bagarres de vilains. Pierre perd ainsi sa dignité sacrée et s'abaisse au même niveau que le jongleur. Cet écart entre ce que l'on attendrait du saint et ce qu'il fait provoque le rire.

## MOLIÈRE (1622-1673)

### *Les Fourberies de Scapin* (1671)

(« Folioplus classiques » n° 3)

*Léandre veut épouser Zerbinette, une jeune Égyptienne,
mais son père Géronte s'oppose à cette union. Léandre s'en
remet alors à l'habileté du valet Scapin pour faire céder
son père. Après de multiples aventures, Scapin, qui veut
se venger de l'avarice du père, le convainc d'entrer dans
un sac pour échapper à une attaque imaginaire.*

SCAPIN : […] Je vous chargerai sur mon dos, comme
un paquet de quelque chose, et je vous porterai
ainsi au travers de vos ennemis, jusque dans votre
maison, où quand nous serons une fois, nous pour-
rons nous barricader, et envoyer quérir main-forte
contre la violence.

GÉRONTE : L'invention est bonne.

SCAPIN : La meilleure du monde. Vous allez voir. (*À
part :*) Tu me paieras l'imposture.

GÉRONTE : Eh ?

SCAPIN : Je dis que vos ennemis seront bien attrapés.
Mettez-vous bien jusqu'au fond, et surtout prenez
garde de ne vous point montrer, et de ne branler[1]
pas, quelque chose qui puisse arriver.

GÉRONTE : Laisse-moi faire. Je saurai me tenir.

SCAPIN : Cachez-vous, voici un spadassin[2] qui vous
cherche. (*En contrefaisant sa voix :*) « Quoi ! jé n'aurai pas l'abantage dé tuer cé Géronte, et quelqu'un
par charité né m'enseignera pas où il est ? » (*À
Géronte de sa voix ordinaire :*) Ne branlez pas. (*Repre-
nant son ton contrefait :*) « Cadédis[3], jé lé trouberai,
sé cachât-il au centre dé la terre. » (*À Géronte avec*

1. Le verbe signifie remuer au XVIIᵉ siècle.
2. Un spadassin est un tueur à gages.
3. C'est un juron qui signifie *tête de Dieu.*

*son ton naturel* :) Ne vous montrez pas. (*Tout le langage gascon est supposé de celui qu'il contrefait, et le reste de lui.*) « Oh, l'homme au sac ! » Monsieur. « Jé té vaille un louis, et m'enseigne où put être Géronte. » Vous cherchez le seigneur Géronte ? « Oui, mordi ! jé lé cherche. » Et pour quelle affaire, Monsieur ? « Pour quelle affaire ? » Oui. « Jé beux, cadédis, lé faire mourir sous les coups dé vaton. » — Oh ! Monsieur, les coups de bâton ne se donnent point à des gens comme lui, et ce n'est pas un homme à être traité de la sorte. « Qui, cé fat dé Géronte, cé maraud, cé vélître[1] ? » Le seigneur Géronte, Monsieur, n'est ni fat, ni maraud, ni bélître, et vous devriez, s'il vous plaît, parler d'autre façon. « Comment, tu mé traites, à moi, avec cette hautur ? » Je défends, comme je dois, un homme d'honneur qu'on offense. « Est-ce que tu es des amis dé cé Géronte ? » Oui, Monsieur, j'en suis. « Ah ! cadédis, tu es dé ses amis, à la vonne hure ! (*Il donne plusieurs coups de bâton sur le sac.*) « Tiens. Boilà cé que jé té vaille pour lui. » Ah, ah, ah ! ah, Monsieur. Ah, ah ! Monsieur ! tout beau. Ah ! doucement, ah, ah, ah ! « Va, porte-lui cela de ma part. Adiusias. » Ah ! diable soit le Gascon ! Ah ! (*En se plaignant et remuant le dos, comme s'il avait reçu les coups de bâton*).

GÉRONTE, *mettant la tête hors du sac* : Ah ! Scapin, je n'en puis plus !

SCAPIN : Ah ! Monsieur, je suis tout moulu, et les épaules me font un mal épouvantable.

GÉRONTE : Comment ? c'est sur les miennes qu'il a frappé.

SCAPIN : Nenni, Monsieur, c'était sur mon dos qu'il frappait.

GÉRONTE : Que veux-tu dire ? J'ai bien senti les coups, et les sens bien encore.

---

1. Dans ce langage gascon, Scapin remplace les b par des v. Vélître est dit pour bélître qui désigne un gueux, un homme de rien.

SCAPIN : Non, vous dis-je, ce n'est que le bout du bâton qui a été jusque sur vos épaules.

GÉRONTE : Tu devrais donc te retirer un peu plus loin, pour m'épargner…

SCAPIN, *lui remet la tête dans le sac* : Prenez garde. En voici un autre qui a la mine d'un étranger. (*Cet endroit est de même que celui du Gascon, pour le changement de langage, et le jeu de théâtre.*) « Parti ! moi courir comme une Basque[1], et moi ne pouvre point troufair de tout le jour sti tiable[2] de Gironte. » Cachez-vous bien. « Dites-moi un peu, fous, Monsir l'homme, s'il ve plaist, fous savoir point où l'est sti Gironte que moi cherchair ? » Non, Monsieur, je ne sais point où est Géronte. « Dites-moi-le vous frenchemente, moi li foulloir pas grande chose à lui. L'est seulement pour li donnair un petite régal sur le dos d'une douzaine de coups de bastonne, et de trois ou quatre petites coups d'épée au trafers de son poitrine. » Je vous assure, Monsieur, que je ne sais pas où il est. « Il me semble que j'y foi remuair quelque chose dans sti sac. » Pardonnez-moi, Monsieur. « Li est assurémente quelque histoire làtetans. » Point du tout, Monsieur. « Moi l'avoir enfie de tonner ain coup d'épée dans ste sac. » Ah ! Monsieur, gardez-vous-en bien. « Montre-le-moi un peu fous ce que c'estre là. » Tout beau, Monsieur. « Quement ? tout beau ? » Vous n'avez que faire de vouloir voir ce que je porte. « Et moi, je le foulloir foir, moi. » Vous ne le verrez point. « Ahi que de badinemente ! » Ce sont hardes qui m'appartiennent. « Montre-moi, fous, te dis-je. » Je n'en ferai rien. « Toi ne faire rien ? » Non. « Moi pailler de ste bastonne dessus les épaules de toi. » Je me moque de cela. « Ah ! toi faire le trole ! » Ahi, ahi, ahi ; ah, Monsieur, ah, ah, ah, ah « Jusqu'au revoir : l'estre là un

---

1. L'expression « courir comme un basque » signifie courir vite.
2. « Sti tiable » signifie « ce diable ».

petit leçon pour li apprendre à toi à parlair inso-
lentemente. » Ah ! peste soit du baragouineux ! Ah !

GÉRONTE, *sortant la tête du sac* : Ah ! je suis roué !

SCAPIN : Ah ! je suis mort.

GÉRONTE : Pourquoi diantre faut-il qu'ils frappent
sur mon dos ?

SCAPIN, *lui remettant la tête dans le sac* : Prenez garde,
voici une demi-douzaine de soldats tout ensemble.

(acte III, scène 2)

*Géronte est bien battu, mais il finit par s'apercevoir de
la supercherie. Scapin prend la fuite. Devant Géronte ainsi
dupé et roué de coups, le public ne peut se retenir de rire.
Le comique de geste s'enrichit dans cette scène célèbre d'un
comique de répétition : Géronte est frappé à trois reprises
car Scapin lui fait à chaque fois croire à l'arrivée de ses
ennemis.*

## 4.

## Le mélange de différents types de comiques

Les différents types de comiques sont souvent présents en même temps dans un texte. C'est le cas
dans *La Farce de maître Pathelin*, une pièce anonyme
qui date de la fin du Moyen Âge.

Maître Pierre Pathelin est un avocat sans clientèle.
Sans argent, il se rend à la foire pour acheter le drap
nécessaire à la confection de vêtement. Mais il doit
se montrer rusé pour obtenir un drap sans le payer.
Il accepte d'acheter l'étoffe à un prix exorbitant au
drapier, prénommé Guillaume, mais ce dernier
devra lui accorder un délai. Le marchand cupide
accepte la transaction. Alors qu'il arrive chez Pathelin pour réclamer son dû, sa femme Guillemette le

convainc que son mari, sur le point de mourir, est en plein délire.

### La Farce de maître Pathelin

(trad. par Michel Rousse,
« La bibliothèque Gallimard » n° 117)

LE DRAPIER : Par saint Georges, je vous demande, madame, l'argent de six aunes d'étoffe !

GUILLEMETTE : Oui, tiens ! Et à qui l'avez-vous donc donnée ?

LE DRAPIER : À lui-même.

GUILLEMETTE : Il est bien en état d'acheter de l'étoffe ! Hélas, il ne bouge pas. Il n'a aucun besoin d'avoir un habit. Le seul habit qu'il revêtira sera blanc et il ne partira d'où il est que les pieds devant.

LE DRAPIER : C'est donc arrivé depuis le lever du soleil, car, aucun doute, je lui ai parlé.

GUILLEMETTE : Vous avez la voix si forte ! Parlez plus bas, par charité.

LE DRAPIER : Mais c'est vous, à la vérité ! vous-même qui criez, malheur de malheur ! Palsambleu, que d'affaire ! Si on me payait, je m'en irais. Par Dieu, chaque fois que j'ai fait crédit, je n'ai rien récolté d'autre.

PATHELIN, *de son lit* : Guillemette, un peu d'eau de rose ! Relevez-moi, remontez mon dos. Trut, à qui parlé-je ? la carafe ! À boire ! Frottez-moi la plante des pieds !

LE DRAPIER : Je l'entends là.

GUILLEMETTE : Oui.

PATHELIN : Ha, malheureuse, viens ici ! T'avais-je fait ouvrir ces fenêtres ? Viens me couvrir. Éloigne ces gens noirs ! *Marmara ! carimari, carimara !* Éloignez-les de moi, éloignez-les !

GUILLEMETTE : Qu'y a-t-il ? Comme vous vous démenez ! Avez-vous perdu la raison ?

PATHELIN : Tu ne vois pas ce que j'aperçois. Voilà un moine noir qui vole ! Prends-le ! Passez-lui une étole. Au chat ! au chat ! Comme il grimpe !

GUILLEMETTE : Hé, qu'y a-t-il ? N'avez-vous pas honte ? Par Dieu, c'est trop vous agiter !

PATHELIN : Les médecins m'ont tué avec ces drogues qu'ils m'ont fait boire. Et pourtant, il faut leur faire confiance, ils font ce qu'ils veulent.

GUILLEMETTE : Hélas, venez le voir, cher monsieur. Il souffre si horriblement !

LE DRAPIER : Est-il malade pour de vrai, depuis le moment où il est revenu de la foire ?

GUILLEMETTE : De la foire ?

LE DRAPIER : Par saint Jean, oui, je crois qu'il y a été. Pour l'étoffe dont je vous ai fait crédit, il m'en faut l'argent, maître Pierre.

PATHELIN : Ha, j'ai chié deux petites crottes, maître Jean, plus dures que pierre, noires, rondes comme des pelotes. Dois-je prendre un autre clystère [1] ?

LE DRAPIER : Hé, que sais-je ? Qu'en ai-je à faire ? Il me faut neuf francs, ou six écus !

(action II, scène 1)

*Le comique de mot ressort dans les jurons du drapier ou, plus finement, dans le prénom de la femme de Pathelin. Elle se nomme Guillemette puisque dans la langue médiévale, la* guille *désigne la ruse. Guillemette est donc toute destinée à duper le drapier. Le comique de geste provient du délire feint par Pathelin qui s'agite dans son lit et du jeu de Guillemette : elle reproche au drapier de parler d'une voix trop aiguë, mais elle-même crie d'une voix perçante. Enfin, dans toute la scène, le drapier ne peut comprendre ce qui lui arrive et croit être devenu fou. Cette incompréhension déclenche le comique de situation. À la fin de cette*

---

1. Le clystère est un lavement administré à l'aide d'une grosse seringue.

> *scène, le drapier se voit obligé de quitter la maison sans avoir récupéré son argent : il a bien été dupé par Pathelin et par son épouse.*

## 5.

## Des prolongements au cinéma

La tradition comique est très présente dans le cinéma américain, en particulier dans les films de Charlie Chaplin. Dans *Les Temps modernes*, Charlot sort de l'usine dans laquelle il travaille à la chaîne à resserrer des boulons. Bien qu'il ait fini sa journée, il ne peut se défaire de son geste mécanique et resserre tous les boulons qu'il trouve sur son chemin, en particulier les énormes boutons qu'il voit sur la robe d'une grosse femme. Le comique vient dans le film dénoncer l'abrutissement du travail à la chaîne.

Le cinéma des Marx Brothers offre un usage sans limite des différents types de comiques : du comique gesticulatoire à d'ahurissants dialogues sans queue ni tête le plus souvent prononcés dans des situations burlesques. Les trois frères, Chico, Harpo et Groucho, mélangent magistralement les jeux de mots, les blagues et les galopades, ainsi dans *La Soupe au canard* (le film date de 1933). Dans une des scènes, Harpo et Chico se présentent auprès de l'ambassadeur qui les a employés comme espions pour compromettre Firefly. Alors que l'ambassadeur veut discuter sérieusement de leur enquête (tout au long de la scène, il ne cesse de réclamer du sérieux et de la concentration), les deux espions gesticulent et accumulent des pitreries : ils font la course pour répondre au téléphone, engagent une partie de football américain dans le bureau, jouent au ball-trap...

Le vêtement d'Harpo apparaît comme une réserve d'objets destinés à faire rire. Il sort de sa poche un énorme réveil qui sonne, puis un chalumeau pour allumer son cigare : il n'a pu trouver de simple briquet. Il en retire également des ciseaux de différentes tailles : les premiers lui permettent de couper le cigare de l'ambassadeur, les deuxièmes ses cheveux et les troisièmes, gigantesques, le bas de sa veste de costume. Enfin, alors que les deux espions sont sur le point de partir, l'ambassadeur tourne le dos à Harpo et se baisse. Ce dernier tire de sa poche un pot de colle et un pinceau dont il badigeonne les fesses de l'ambassadeur. Comme les espions s'apprêtent à sortir de la pièce, on voit l'ambassadeur prêt à s'asseoir et donc à faire l'expérience des fesses collées sur une chaise.

Le film accumule de la sorte les effets comiques par tous les moyens et la rapidité de l'enchaînement des clowneries nous laisse sans autre réaction que le rire.

# Chronologie

## Le temps des fabliaux

## 1.

### Avant les fabliaux :
### les chansons de geste

Quelques indications historiques d'abord, avant la naissance des fabliaux. Les premières croisades datent de la fin du XIᵉ et du début du XIIᵉ siècle ; c'est à la même époque qu'apparaît la première chanson de geste : le récit évoque l'expédition des pairs de France, en particulier Roland et Olivier, contre les païens. Cette geste, développée autour de l'empereur Charlemagne, s'intitule *La Chanson de Roland*. Elle est composée aux alentours de 1090. D'autres gestes sont écrites quelque temps après : on peut citer parmi les plus anciennes *Aliscans*, dont le héros est Guillaume d'Orange, ou encore *Raoul de Cambrai*, qui évoque les luttes privées entre les barons du royaume de France sous le règne de Louis. Ces deux chansons anonymes datent de 1150.

1090    *La Chanson de Roland.*
1065-1096    Première croisade et prise de Jérusalem.

1137 Louis VII devient roi de France et épouse Aliénor d'Aquitaine.

1147 Deuxième croisade.

1150 Remariage d'Aliénor d'Aquitaine avec Henri II Plantagenêt, futur roi d'Angleterre. *Aliscans. Raoul de Cambrai.*

## 2.

## Renart, contemporain des fabliaux

La composition des fabliaux s'étend sur presque deux siècles. Le premier fabliau, daté de 1159, s'intitule *Richeut*. À la fin du XIIe siècle, Jean Bodel écrit *Le Vilain de Bailleul* et *Brunain la vache au prêtre*. C'est au cours du XIIIe siècle que sont composées la plupart des contes à rire. *Estula* date vraisemblablement de la première moitié du siècle ; *Le Vilain mire* est un peu plus tardif ; enfin, dans la seconde moitié du XIIIe siècle, Rutebeuf compose deux fabliaux : *Frère Denise* et *Le Testament de l'âne.* Le genre s'éteint au début du XIVe siècle. Les deux derniers auteurs de fabliaux sont Jean de Condé et Watriquet de Couvin. Le premier est l'auteur de cinq fabliaux, dont *Le Sentier battu* et *Le Dit de la Nonnette.* Le second a en particulier composé *Les Trois Dames de Paris* et *Des trois chanoinesses de Cologne.*

La chronologie des œuvres du Moyen Âge est très vague car les manuscrits ne comportent pour la plupart aucune mention de date. Il est donc presque impossible de dater avec précision l'essentiel de la production littéraire de cette époque. Le plus important est de retenir que les fabliaux sont écrits au moment où naît l'un des héros majeurs de la littérature médiévale : Renart. La composition du *Roman de Renart* s'étire sur près d'un siècle. L'œuvre complexe se divise en différentes branches, en divers chapitres, qui racontent les aventures de Renart le goupil. « Renart et Chantecler » et « Renart et Tiécelin le corbeau » comptent parmi les premiers épisodes du *Roman*. Les dernières branches : « Renart le noir » et « La Naissance de Renart », sont composées dans la première moitié du XIIIe siècle. Mais la tradition renardienne se poursuit au-delà du *Roman de Renart*. D'autres œuvres racontent ses aventures, en particulier *Renart le Bestourné* et *Renart le Nouvel*.

Le XIIe siècle littéraire est également marqué par les romans de Chrétien de Troyes et par les courts écrits de Marie de France. Chrétien de Troyes est un auteur champenois, probablement né à Troyes vers 1135. Il a composé sept romans qui se rapportent à la légende arthurienne dont *Érec et Énide, Cligès, Lancelot ou le Chevalier à la charrette, Yvain ou le Chevalier au lion*... Marie de France vit dans la seconde moitié du XIIe siècle. Attachée à la cour d'Henri II d'Angleterre et d'Aliénor d'Aquitaine, elle écrit des lais, qui s'inspirent de légendes bretonnes, et des fables.

1159   Apparition des premiers fabliaux.
1160   Marie de France : *Lais*.
1169-1170   Chrétien de Troyes : *Érec et Énide*. Marie de France : *Fables*.
1170-1173   Thomas : *Tristan et Yseut*.
1174   Premières branches du *Roman de Renart*.

1177-1180    Chrétien de Troyes : *Lancelot ou le Chevalier à la charrette* et *Yvain ou le Chevalier au lion*.

1180    Philippe Auguste, roi de France.

1181    Chrétien de Troyes : *Perceval ou le Conte du
Graal*.

1189-1192    Troisième croisade.

1194    Édification de la cathédrale de Chartres.

Début XIIIᵉ s. Édification de la cathédrale de Bourges.
*Aucassin et Nicolette. Le Conte du Graal.* Jean Bodel :
*Le Jeu de saint Nicolas.*

1202    Édification de la cathédrale de Rouen. Jean
Bodel : *Congés.*

1202-1204    Quatrième croisade et prise de Constan-
tinople.

1211    Édification de la cathédrale de Reims.

1205-1250    Dernières branches du *Roman de Renart.*

1214    Bataille de Bouvines.

1217-1221    Cinquième croisade.

1223    Jacques de Vitry : recueils d'*Exempla.*

1223-1226    Règne de Louis VIII.

1226    Saint Louis, roi de France.

1261    Rutebeuf : *Renart le Bestourné.*

1270    Huitième croisade et mort de saint Louis.

1285    Philippe le Bel, roi de France.

1298    Marco Polo : *Le Devisement du monde.* Joinville :
*Vie de saint Louis.*

1330-1340    Jean de Condé et Watriquet de Couvin
écrivent les derniers fabliaux.

## 3.

## La guerre de Cent Ans

L a composition des fabliaux est terminée. Le
genre, qui a occupé un siècle et demi, a consi-
dérablement marqué la production littéraire du

Moyen Âge. Historiquement, l'époque s'enlise dans la guerre de Cent Ans et en subit les troubles : la misère, les maladies et la famine. La littérature enregistre ces événements historiques : Jean Froissart écrit la *Chronique* de cette guerre à la fin du XIV<sup>e</sup> siècle ; trois poètes, Christine de Pisan, Eustache Deschamps et, plus tard, Alain Chartier, décrivent avec indignation ou mélancolie la France écrasée par tous les maux.

---

1337   Début de la guerre de Cent Ans.

1370-1400   Jean Froissart : *Chronique*. Eustache Deschamps : *Ballades*.

1405   Christine de Pisan : *L'Avision*.

# Éléments pour une fiche de lecture

## Regardez l'illustration

- Tous ces personnages vous amusent-ils ou vous font-ils un peu peur ? Ont-ils l'air vraiment fous ou seulement saouls ? Selon vous, lequel semble le plus fou ?

- Tous ou presque sont en train d'ouvrir la bouche, sûrement pour boire à la gourde que tend la femme au centre. Pourtant, celle-ci tient un instrument de musique : se pourrait-il qu'ils soient en train de chanter ? Et si oui, quel type de chansons ?

- Dans « Du tableau au texte », Alain Jaubert montre qu'on pense que le tableau a été scié sur le bas de la scène. Regardez maintenant le côté droit de la toile : quelque chose de rond et de brillant dépasse. De quoi s'agit-il ? Essayez d'imaginer comment le tableau aurait pu se prolonger cette fois non pas en longueur mais en largeur.

- Créez un dialogue entre les personnages sur le mode des fabliaux et des farces que vous venez de lire. Faites parler les « vilains »…

## Des contes rusés

- Un verbe est parfois employé à la place de « tromper », c'est le verbe « engeigner ». Recherchez l'histoire de ce mot (son étymologie) et les termes qui lui sont apparentés. Connaissez-vous un autre mot synonyme du verbe « tromper » ?

- Dans *Les Perdrix*, *La Bourgeoise d'Orléans* et *La Bourse pleine de sens*, quel personnage fait preuve d'un esprit rusé et qui au contraire est dupé ? Vous rappelez-vous d'un autre fabliau dans lequel on observerait le même schéma ?

- À quel moment la ruse apparaît-elle dans *Estula* ? Qui est dupé par les deux frères et quel moyen est employé ?

- Dans *Le Roi et le conteur*, comment se termine le fabliau ? Imaginez que vous repreniez le conte là où le ménestrel l'a laissé et composez la fin du fabliau.

## À la limite du genre

- Donnez une définition des fabliaux.

- Dans *Le Vilain et l'oiselet,* qui dupe le vilain ? Est-ce un personnage bien connu des fabliaux ? Quel genre proche du fabliau ce récit vous rappelle-t-il ?

- À propos de *La Couverture partagée* :
  — Quelle leçon donne le petit garçon à son père ?
  — Quelle est la place occupée par la morale ?
  — Ce fabliau vous a-t-il fait rire ? Pourquoi ?
  — À quel genre proche du fabliau ce récit vous fait-il penser ?

## Vers une théâtralisation des fabliaux

*Le Vilain mire* raconte l'histoire d'un paysan devenu médecin contre sa volonté. Au XVIIᵉ siècle, Molière adapte ce thème et écrit une pièce intitulée *Le Médecin malgré lui.*

- Vous comparerez les titres de ces deux œuvres pour faire ressortir les écarts et les ressemblances.
- Dans la scène suivante empruntée à la pièce de Molière, Martine veut se venger de son mari qui la bat. Vous reconnaissez l'intrigue du *Vilain mire*. À quel moment précis du fabliau cet extrait renvoie-t-il ? Que remarquez-vous ? Quelles sont les ressemblances et les différences entre les deux textes ?

« MARTINE : Oui, il faut que je m'en venge à quelque prix que ce soit : ces coups de bâtons me reviennent au cœur, je ne les saurais digérer, et... *(Elle dit tout ceci en rêvant, de sorte que ne prenant pas garde à ces deux hommes, elle les heurte en se retournant, et leur dit :)* Ah ! Messieurs, je vous demande pardon ; je ne vous voyais pas, et cherchais dans ma tête quelque chose qui m'embarrasse.

VALÈRE : Chacun a ses soins dans le monde, et nous cherchons aussi ce que nous voudrions bien trouver.

MARTINE : Serait-ce quelque chose où je vous puisse aider ?

VALÈRE : Cela se pourrait faire ; et nous tâchons de rencontrer un habile homme, quelque médecin particulier, qui pût donner quelque soulagement à la fille de notre maître attaquée d'une maladie qui lui a ôté tout d'un coup l'usage de la langue. Plusieurs médecins ont déjà épuisé toute leur science auprès d'elle : mais on trouve parfois des gens avec des secrets admirables, de certains remèdes particuliers, qui font le plus souvent ce que les autres n'ont su faire ; et c'est ce que nous cherchons.

MARTINE *(elle dit ces premières lignes bas)* : Ah ! que le Ciel m'inspire une admirable invention pour me venger de mon pendard ! *(Haut :)* Vous ne pouviez jamais mieux vous adresser pour rencontrer ce que vous cherchez ; et nous avons ici un homme, le plus merveilleux homme du monde, pour les maladies désespérées.

VALÈRE : Et de grâce, où pouvons-nous le rencontrer ?

MARTINE : Vous le trouverez maintenant vers ce petit lieu que voilà, qui s'amuse à couper du bois. » (Molière, *Le Médecin malgré lui*, acte I, scène 4)

• *Le Vilain mire* est un conte en vers au Moyen Âge alors que *Le Médecin malgré lui* est une pièce de théâtre. Essayez d'adapter *Le Vilain mire* au théâtre pour pouvoir ensuite le jouer en classe.

## À vos plumes

• Je vous invite à écrire vous-même un fabliau. Il doit comporter un paysan, une femme et un chevalier et doit se dérouler à la campagne. Vous prendrez soin de respecter la structure du fabliau (prologue, aventure, épilogue ou morale) et d'inclure dans votre récit des éléments de la vie quotidienne au Moyen Âge.

### Collège

CHRÉTIEN DE TROYES, *Le Chevalier au Lion* (2)

COLETTE, *Dialogues de bêtes* (36)

CORNEILLE, *Le Cid* (13)

Gustave FLAUBERT, *Trois Contes* (6)

HOMÈRE, *Odyssée* (18)

Victor HUGO, *Claude Gueux* suivi de *La Chute* (15)

Joseph KESSEL, *Le Lion* (30)

Jean de LA FONTAINE, *Fables* (34)

Gaston LEROUX, *Le Mystère de la chambre jaune* (4)

MOLIÈRE, *Le Médecin malgré lui* (20)

MOLIÈRE, *Les Fourberies de Scapin* (3)

MOLIÈRE, *Trois courtes pièces* (26)

Charles PERRAULT, *Contes* (9)

Jacques PRÉVERT, *Paroles* (29)

Jules VALLÈS, *L'Enfant* (12)

Paul VERLAINE, *Fêtes galantes* (38)

Jules VERNE, *Le Tour du monde en 80 jours* (32)

Oscar WILDE, *Le Fantôme de Canterville* (22)

### Lycée

*La poésie baroque* (anthologie) (14)

Honoré de BALZAC, *La Peau de chagrin* (11)

Charles BAUDELAIRE, *Les Fleurs du Mal* (17)

Gustave FLAUBERT, *Madame Bovary* (33)

Sébastien JAPRISOT, *Un long dimanche de fiançailles* (27)

Pierre Choderlos de LACLOS, *Les Liaisons dangereuses* (5)

Jean de LA BRUYÈRE, *Les Caractères* (24)

MARIVAUX, *L'Île des esclaves* (19)

Guy de MAUPASSANT, *Le Horla* (1)

MOLIÈRE, *L'École des femmes* (25)

MOLIÈRE, *Tartuffe* (35)
Alfred de MUSSET, *Lorenzaccio* (8)
François RABELAIS, *Gargantua* (21)
Jean RACINE, *Andromaque* (10)
Jean RACINE, *Britannicus* (23)
Nathalie SARRAUTE, *Enfance* (28)
VOLTAIRE, *Candide* (7)
VOLTAIRE, *L'Ingénu* (31)
Émile ZOLA, *Thérèse Raquin* (16)

**NOTES**

*Composition Bussière.*
*Impression Novoprint*
*à Barcelone, le 24 janvier 2005.*
*Dépôt légal : janvier 2005.*
ISBN 2-07-031756-0./Imprimé en Espagne.